Théodore Dubois
(1837-1924)

Musique sacrée et symphonique
Musique de chambre

EDICIONES SINGULARES

THÉODORE DUBOIS

(1837-1924)

Musique sacrée et symphonique
Musique de chambre

Chantal Santon
Jennifer Borghi
Marie Kalinine
Mathias Vidal
Alain Buet
Romain Descharmes
François Saint-Yves
Quatuor Giardini
Les Siècles / François-Xavier Roth
Flemish Radio Choir / Hervé Niquet
Brussels Philharmonic / Hervé Niquet

Théodore Dubois en costume
d'académicien.
(*Musica*, février 1905.)

Théodore Dubois, in academic
dress. (*Musica*, February 1905.)

Chaque livre-disque de la collection « Portraits » est consacré à un
compositeur français aujourd'hui oublié. Il présente, en associant le
talent de nombreux artistes, un panorama musical varié de son œuvre.
Le portrait de Théodore Dubois se propose de compléter la discogra-
phie déjà disponible par des premiers enregistrements mondiaux
d'ouvrages importants du compositeur. La *Symphonie française* et la
Symphonie n° 2, pièces ambitieuses écrites à l'orée du XXᵉ siècle, témoignent des influences croisées de Franck, de Mendelssohn et de
Schumann, tant dans la variété des couleurs orchestrales que dans
certains cheminements harmoniques. Elles éclairent de manière inat-
tendue un corpus que la postérité a souvent limité à de la musique
religieuse. Il n'est pas faux, néanmoins, de rappeler que Dubois fut
longtemps attaché aux offices de Sainte-Clotilde ou de la Madeleine.
À ce titre, la *Messe pontificale* trace un trait d'union intéressant entre
sa composition à Rome en 1862 et sa révision tardive à Paris en 1895.
Le « style romantique » avait largement évolué entre-temps. Les six
motets présentés en complément de cette messe nuancent d'ailleurs
les diverses facettes du style religieux de Dubois, oscillant entre une
austérité néo-palestrinienne et une exubérance romantique issue de
l'opéra. La *Sonate pour piano* et le *Quatuor avec piano* dévoilent pour
leur part le talent chambriste de Dubois, attaché aux structures et
aux genres classiques, mais soucieux d'harmonies et de mélodies plus
actuelles.

Each volume in the 'Portraits' series is devoted to a French composer
who has now largely been forgotten. With performances by many talented artists, it presents a panorama of his works. This portrait of
Théodore Dubois is intended to complement the existing discography
with a number of world première recordings of the composer's important works. The *Symphonie française* and the Symphony No. 2 are ambitious pieces written at the outset of the 20th century, which reflect
intertwining influences of Franck, Mendelssohn and Schumann, both
in the variety of their orchestral colours and in certain of their harmonic progressions. In an unexpected manner, they illuminate an
oeuvre which has too often been reduced merely to that of religious
music by the forces of posterity. However, it is not incorrect to recall
that Dubois worked for a long time both at Sainte-Clotilde and the
Madeleine in Paris. In this respect, an interesting line can be traced
with the *Messe pontificale*, between the time of its composition in Rome
in 1862 and its belated revision in Paris in 1895. In the intervening
period, the 'Romantic style' had progressed considerably. Indeed, the
six motets complementing this mass here, add nuances to the varied
aspects of Dubois' religious style, oscillating between a neo-Palestrinian
austerity and a Romantic ebullience coming from opera. On the other
hand, the Piano Sonata and the Piano Quartet reveal Dubois' talent in
chamber music, attached as he was to classical structures and genres,
but mindful of more up-to-date harmonic and melodic concerns.

Collection « Portraits »
Ouvrage dirigé par Alexandre Dratwicki

© 2014 PALAZZETTO BRU ZANE – CENTRE DE MUSIQUE ROMANTIQUE FRANÇAISE
San Polo 2368 – 30125 Venezia – Italie
bru-zane.com

© 2014 EDICIONES SINGULARES / SÉMELE PROYECTOS MUSICALES
Timoteo Padrós, 31 – 28200 San Lorenzo de El Escorial – Espagne
edicionessingulares.com

Design : Valentín Iglesias

Printed and made in Spain
Dépôt légal : Madrid, octobre 2014 – M-30131-2014
ISBN : 978-84-617-2365-2

Sommaire

Contents

Un extrait du final de la *Sonate pour piano* de Dubois.
(Éditions Heugel.)

A page from the last movement of Dubois' Piano Sonata.
(Éditions Heugel.)

**PALAZZETTO
BRU ZANE**
CENTRE
DE MUSIQUE
ROMANTIQUE
FRANÇAISE

Le Palazzetto Bru Zane – Centre de musique romantique française a pour vocation de favoriser la redécouverte du patrimoine musical français du grand XIXᵉ siècle (1780-1920) en lui assurant le rayonnement qu'il mérite. Installé à Venise, dans un palais de 1695 restauré spécifiquement pour l'abriter, ce centre est une réalisation de la Fondation Bru. Il allie ambition artistique et exigence scientifique, reflétant l'esprit humaniste qui guide les actions de la fondation. Les principales activités du Palazzetto Bru Zane, menées en collaboration étroite avec de nombreux partenaires, sont la recherche, l'édition de partitions et de livres, la production et la diffusion de concerts à l'international, le soutien à des projets pédagogiques et la publication d'enregistrements discographiques.

The vocation of the Palazzetto Bru Zane – Centre de musique romantique française is to favour the rediscovery of the French musical heritage of the years 1780-1920 and obtain international recognition for that repertoire. Housed in Venice in a palazzo dating from 1695 specially restored for the purpose, the Palazzetto Bru Zane – Centre de musique romantique française is one of the achievements of the Fondation Bru. Combining artistic ambition with high scientific standards, the Centre reflects the humanist spirit that guides the actions of that foundation. The Palazzetto Bru Zane's main activities, carried out in close collaboration with numerous partners, are research, the publication of books and scores, the production and international distribution of concerts, support for teaching projects and the production of CD recordings.

bru-zane.com

Notice sur Théodore Dubois

Charles-Marie Widor

(Discours prononcé à l'Académie des beaux-arts en 1924.)

Messieurs,

C'est un fils de paysans, d'une famille dont le blason est fait de travail et de droiture. Son grand-père était l'instituteur du village, son père un vannier. Métier charmant, ce métier-là : poètes et musiciens l'ont chanté, Dubois aurait dû le chanter à son tour. L'a-t-il fait ? Peut-être...

Rosnay, joli village champenois situé dans la vallée de la Vesle, est à treize kilomètres de Reims. Notre confrère y conserva toujours la maison natale, qu'il se plaisait à embellir. Il y faisait chaque année, fidèlement, de longs séjours d'étés, et fidèlement il y conservait le petit harmonium que ses parents, sur leurs économies, avaient acheté pour le petit Théodore. Quand le paisible cottage, au cours de la grande guerre, disparut sous le choc de l'invasion, ce fut l'un des plus grands chagrins de sa vie.

Jusqu'à douze ans, il va à l'école, chez l'instituteur son grand-père. Aux heures de liberté, son plaisir est de jouer du flageolet. C'était l'éveil, sans doute, de sa vocation. Mais ce qui le détermina irrésistiblement, ce fut un office auquel il assista dans la cathédrale de Reims. Les chants de la maîtrise, les sons de l'orgue bouleversèrent sa petite âme (il avait sept ans) : « Je veux être enfant de chœur », déclara-t-il à ses parents. « Et pourquoi ? » demandèrent-ils. « Pour chanter à l'église. » Le malheur, c'est que l'église n'agréa pas à ces fonctions un candidat dont les moyens vocaux, voisins de l'aphonie, s'avéraient insuffisants. C'est un signe caractéristique de cet homme grand, nerveux, bien bâti, que sa voix fut toujours un peu sourde : il n'était pas né chanteur. Cette première infortune ne fit d'ailleurs qu'enflammer son amour de la musique. Il fallut bien lui donner un maître.

À Rosnay, pas de musiciens ; mais à Gueux, village voisin, le tonnelier, en même temps que ses tonneaux, gouverne une contrebasse et l'orgue de la paroisse. De ce maître rural, le petit Théodore reçoit neuf leçons. Après la neuvième, le tonnelier, loyal, déclare à son disciple, qu'il n'a plus rien à lui apprendre. Mais entendre le bonhomme cercler ses tonneaux, n'était-ce pas recevoir une leçon encore ? C'est le rythme du travail que martèlent les coups de maillet, et cette musique chante si bien dans la paix du village ! Les tonneaux ont de la musique en eux : George Sand, amenée au concert par son meilleur ami – c'était alors Chopin – remarqua surtout, dans l'orage méthodique de la *Pastorale*, une similitude entre le grondement du tonnerre et la sonorité caverneuse des tonneaux de Nohant que son enfance avait entendu cercler.

L'instituteur, son grand-père, avait pour ami un instituteur de Reims, dont la fille, qui jouait du piano, devint le second maître de l'enfant. Son maître véritable fut le troisième. Il se nommait Louis Fanart ; il était de Reims également : riche dilettante, possédant une belle bibliothèque littéraire et musicale, excellent musicien, sachant l'harmonie, qu'il avait étudiée avec Lesueur, le professeur de Berlioz. Deux fois par semaine, pendant trois ans, Théodore a fait à pied les treize kilomètres, aller et retour, de Rosnay à Reims et vice versa. Il doit à Louis Fanart les principes de son éducation technique et la connaissance des grandes œuvres musicales. Mais à mesure que s'étendait le champ de son instruction, l'horizon de Reims lui paraissait plus restreint et son désir s'augmentait d'aller à Paris, d'entrer au Conservatoire. Comment franchir la porte sacro-sainte, quand on n'est qu'un petit paysan ?

Le maire de Rosnay était le vicomte Eugène de Breuil, homme de goûts affinés, ami d'artistes parisiens. Il avait constaté les progrès du jeune Dubois (17 ans à cette date). Il le fit venir à Paris et le présenta à Ravina, pianiste à la mode, puis à Marmontel et à Bazin, tous deux professeurs au Conservatoire, qui l'accueillirent dans leur classe. M. de Breuil l'hospitalisa dans une maison qu'il avait, à Paris, vers la rue Saint-Georges. Dubois habitait tout au haut de l'immeuble et prenait ses repas dans la loge, entre le concierge souvent pochard et sa femme toujours malodorante. Années, comme on voit, d'assez rudes épreuves. Mais qu'importe ! Il vivait à Paris, il était élève du Conservatoire, ses maîtres l'avaient remarqué, il ne doutait pas de lui-même, il se sentait vraiment musicien : il était heureux. La dette de gratitude envers son protecteur, jamais il ne l'oublia.

Très maigre alors, pauvrement vêtu, inénarrablement coiffé d'une casquette jaune dont ses camarades s'amusaient, le jeune homme n'en travaillait pas moins avec une énergie qui lui valut le prix d'harmonie, en 1854, puis le prix de fugue, puis le prix d'orgue, enfin le poste d'accompagnateur à la chapelle des Invalides. C'est alors que commencèrent ses relations avec César Franck.

Franck, maître de chapelle de Sainte-Clotilde, avait besoin d'un accompagnateur. Dubois se présente. Le maître lui fait subir une sorte d'examen, constate qu'il est digne du poste et l'y fait nommer. Fonctionnaire impeccable, notre futur confrère trouve néanmoins le temps de travailler. Élève d'Ambroise Thomas, pour la composition, il attaque le prix de Rome. Un concurrent plus heureux emporte la place : c'est Guiraud. L'année suivante, second assaut. Tandis même qu'il est en loge, il attrape la scarlatine qui l'oblige à quitter le combat. Il n'est pas inutile d'être un honnête garçon et d'être aimé de ses camarades. Dubois en reçoit alors la plus touchante preuve. Ses camarades eux-mêmes, ne voulant pas profiter de sa malchance, s'entendirent loyalement pour demander au ministre que leur concurrent, quand il serait guéri, fût réintégré en loge pour les vingt jours qui lui restaient à faire. Et notre confrère, cette fois, remporta le prix (1861).

Il y a deux catégories de « Romains », j'entends par là nos pensionnaires. Dans la première, les incurieux qui vivent à Rome comme ils vivraient à Paris et, s'ennuyant à Rome, ne songent qu'à revoir le boulevard ou Montmartre. Dans la seconde, les esprits curieux de voir et d'apprendre, qui se passionnent aux œuvres de l'Antiquité latine, de la Renaissance italienne et s'enrichissent de grands souvenirs. Théodore Dubois était de la seconde. Son temps de Rome lui fut précieux. Il en garda toujours un souvenir ébloui, et retourna souvent aux bords glorieux du Tibre.

À la Villa, il eut pour camarades : musiciens, Paladilhe et Guiraud ; peintres, Henner et Jules Lefebvre ; sculpteurs, Falguière et Carpeaux ;

architectes, Moyaux et Coquart. Il y reçoit un jour la visite de Liszt en personne : « Montrez-moi une ou deux de vos œuvres. » – « Maître », répondit, très ému, le jeune pensionnaire, « oserai-je vous montrer ces deux pièces pour piano ? » Dans la chambre, un de ces vieux pianos carrés de l'époque. Sur le pupitre, Liszt étale le manuscrit et joue. Joie intense de l'auteur. Le piano fut moins heureux. Sous la poigne magistrale huit ou dix cordes sautèrent. Liszt revint assez souvent à la Villa, une fois entre autres, pour féliciter Dubois d'une messe* qu'il venait d'écrire et que le maître avait entendue. Un matin, il était encore à Rome, Dubois reçut une lettre de Franck, son ancien patron. Franck lui mandait qu'un grand orgue venait d'être construit à Sainte-Clotilde, qu'il en devenait, lui Franck, le titulaire, que le poste de maître de chapelle se trouvait donc vacant, et qu'il serait heureux de le réserver à son ancien accompagnateur. Dubois s'empressa d'accepter, revint en hâte et l'on peut dire que l'acceptation de ce poste détermina, pour une large part, sa carrière artistique, et qu'elle fit de notre confrère un musicien plus particulièrement d'église et d'œuvres sacrées. J'ajouterai d'ailleurs que son éducation première, très religieuse, et sa foi personnelle le prédisposaient à ce genre de musique.

En 1868, de Sainte-Clotilde Dubois passe à la Madeleine comme maître de chapelle encore. Saint-Saëns en est l'organiste. Dès ce temps, les relations entre ces deux hommes furent ce qu'elles restèrent jusqu'à la fin, très confiantes, très affectueuses. Aussi bien Dubois admirait-il profondément son futur confrère et notamment ses improvisations du dimanche. Il faut remarquer ici (et nous y reviendrons avec plus de détail) qu'il n'était plus seulement à cette époque le chef d'une maîtrise, mais un compositeur déjà renommé, l'auteur, entres autres nombreux ouvrages, d'une œuvre chorale et orchestrale, *Les Sept Paroles du Christ*, dont le succès fut considérable et qui fut jouée successivement à Sainte-Clotilde, à la Madeleine et chez Pasdeloup. La fortune de cet ouvrage ne fut pas moindre à l'étranger, ainsi qu'en témoignent les programmes des États-Unis et du Canada, où il figure d'ordinaire aux concerts spirituels de la Semaine sainte.

En 1871, Ambroise Thomas, directeur du Conservatoire, fait nommer son ancien élève professeur d'harmonie, et plus tard professeur

---

* La *Messe* enregistrée dans le présent livre-disque (NDLE).

de composition, à la mort de Léo Delibes, titulaire de cette classe. En 1877, Saint-Saëns, résigne ses fonctions d'organiste et Dubois, abandonnant le bâton de maître de chapelle, monte au grand orgue. Succession difficile qu'il accepta bravement : le nouvel organiste ne se montra pas indigne de son illustre devancier et sut garder près de lui le même cercle de fidèles (de 1877 à 1896, c'est alors qu'il écrivit ses nombreuses pièces d'orgue). En 1896, Ambroise Thomas disparaît, et notre confrère, qui alors est appelé à prendre sa succession, résigne, à son tour, ses fonctions d'organiste. Le petit paysan de Rosnay, directeur du Conservatoire, l'humble écolier de jadis s'asseyant dans le fauteuil de Cherubini, quel rêve !

Très vieille institution, notre Conservatoire. Un décret de Louis XVI la fonde en 1784. Elle se nomme alors *École de Musique*** : on l'installe à la place des Menus-Plaisirs. Quelques années plus tard, elle change d'enseigne et devient *École gratuite de la Garde nationale parisienne*. C'est elle qui fournit choristes et instrumentistes aux fêtes de la Révolution. *Institut national de musique*, en 1793, elle reçoit, deux ans après, la constitution qu'elle a, peu s'en faut, maintenant, car elles étaient solides les constitutions administratives de ce temps-là. Quelques différences pourtant, dont l'une était qu'au lieu d'un directeur, c'était un administrateur flanqué de six inspecteurs qui veillait au destin du Conservatoire primitif. L'administrateur se nommait Sarrette, simple dilettante, mais capitaine d'état-major. Inspecteurs : les citoyens Méhul, Gossec, Lesueur, Cherubini, Martini, Monsigny, plus qualifiés, ceux-là. Le premier *directeur* sera Cherubini.

Nous avons tous connu ces bâtiments de la rue Bergère, d'une tristesse laide où le confort était ignoré. Aux exercices de l'orchestre et des chœurs, aux examens, aux concours suffisait à peine une salle d'environ cent places. À mi-hauteur, une étroite galerie circulaire. Au fond, une petite loge où le premier Consul, en 1800, vint assister à la distribution des prix. Un musicien de la garde consulaire, à Marengo, quelques jours auparavant, avait eu son basson brisé d'un éclat de

---

** Sic : *École royale de chant* (NDLE).

mitraille entre ses mains. Bonaparte remit un basson d'honneur au musicien soldat lauréat du premier prix. En face de cette loge, sur la scène, était un orgue. C'est l'instrument qui servit à la classe de Franck (et à la mienne aussi, car je lui succédai à sa mort, en 1896) devenu professeur d'orgue de la maison par l'entremise reconnaissante de Théodore Dubois.

Dans cette salle aujourd'hui détruite – en 1911, le Conservatoire quitta le faubourg Poissonnière pour la rue de Madrid – a défilé toute la musique française : Berlioz, Gounod, Saint-Saëns, Bizet, Massenet, tous nos maîtres en un mot, de Boieldieu à Debussy. Mais ses proportions ne correspondaient plus au nombre croissant des élèves. C'est à Cherubini que nous devons la salle actuelle, dont lui-même dessina les plans et qui n'est pas moins illustre que sa devancière, puisqu'elle est devenue la salle de la Société des concerts, et que tant de chefs-d'œuvre s'y sont fait connaître. Richard Wagner, je cite son propre témoignage, y reçoit la vraie révélation de la *Neuvième Symphonie*[***]. Voilà pour les bâtiments du Conservatoire. Ce qui leur manqua longtemps, jusqu'aux environs de 1860, c'est une âme, c'est l'unité d'enseignement qui se fonde sur l'unité d'une doctrine harmonique, et c'est du traité de Reber, mais annoté, révisé, complété, quasi transformé par Théodore Dubois, qu'il reçut enfin cette indispensable doctrine. [...]

C'est à Théodore Dubois que revient l'honneur d'avoir codifié les principes de notre art. Son enseignement lui permit en effet de compléter son premier ouvrage par un second, *Traité de contrepoint et de fugue*, qui fut le fruit de ses remarques personnelles, comme professeur de composition, quand il succéda à Delibes. Grand éducateur, homme de la règle et de la discipline, il n'en avait pas moins une peur gentille de blesser ses élèves par une critique trop directe. L'un d'eux apporte à la classe le dernier produit de son cru : « C'est très bien, Monsieur, c'est très bien, mais peut-être ne connaissez-vous pas la page de Massenet que je vais vous jouer ?... » À la quatrième mesure, l'élève, qui saisit la

---

[***] De Beethoven (NDLE).

ressemblance avec son œuvre, saisit également son manuscrit et le déchire : « Ah ! Monsieur », s'exclama douloureusement le bon maître, « comme je vous demande pardon ! »

Aussi bien, tout traditionnaliste qu'il fût, sa classe, où défilèrent à peu près tous les musiciens d'aujourd'hui, a compté, comme la mienne d'ailleurs, quelques révolutionnaires, et certainement l'un d'eux a dû parler de son enseignement comme l'un de mes élèves a parlé du mien. Cet élève intelligent, bien doué, d'une abracadabrance avisée mais quelque peu effarante, se trouvait dans une soirée, et comme une belle dame lui demandait : « Et Widor, votre maître, que disait-il de vos hardiesses ? » – « Widor », répondit l'éphèbe, « d'abord il tiquait pas mal, mais nous l'avons dressé. » Humoristique façon, j'en suis convaincu, de rendre hommage à mon vieil ami Dubois et à moi-même, et de constater que le premier devoir d'un professeur est de respecter le tempérament, fût-il excessif, de ses élèves.

Cette unité doctrinaire que nous admirons dans les ouvrages du théoricien, se retrouve dans tout l'œuvre du compositeur ; elle en est la marque personnelle, quels que soient les genres divers qu'il aborde, symphonie, oratorio, théâtre, musique profane, musique religieuse. Il nous laisse trois symphonies, dont l'une, *Symphonie française*, magistralement architecturée, semble évoquer toutes les France, depuis la majesté de la cathédrale rémoise et la grande figure de notre Jeanne d'Arc, jusqu'aux bataillons des sans-culotte révolutionnaires, marchant à l'ennemi au chant de la *Marseillaise*. Parmi ses ouvertures de concert, la plus populaire, colorée, mouvementée, heureusement inspirée d'une légende scandinave, celle de *Frithiof*.

C'est au premier de ses oratorios, *Les Sept Paroles du Christ*, qu'il doit, comme nous l'avons dit, sa renommée naissante, et cette renommée s'accroît et s'affirme par le succès du *Paradis perdu*, prix de la Ville de Paris (1878). Plusieurs scènes lyriques, *L'Enlèvement de Proserpine*, *Les Vivants et les Morts*, *Le Baptême de Clovis*, *Notre-Dame de la Mer* ; des concertos pour piano, pour violon, des quintettes, quatuor, trio ; des sonates pour instruments divers ; des chœurs sans accompagnement ; des volumes de mélodies, quantité de pièces pour piano, dont ses charmants *Poèmes virgiliens*.

Au théâtre, deux pièces en un acte, *La Guzla de l'Émir* (1873) et *Le Pain bis* (1879), *La Farandole*, ballet en trois actes, représenté avec succès à l'Opéra (1883), *Aben Hamet*, quatre actes au Théâtre-Italien (1884) et *Xavière*, sur un poème de Ferdinand Fabre, trois actes à l'Opéra-Comique (1895).

Sa vraie gloire musicale, gloire durable, c'est son œuvre religieuse. L'illustre *cantor* de Leipzig, Bach, écrivait une cantate pour chaque dimanche. Si l'on feuilletait le catalogue des messes et des motets de Théodore Dubois, on y trouverait certainement de quoi fournir l'ordinaire de tous les dimanches pendant plus de deux ans ; et s'il faut qualifier ce vaste ensemble par les traits principaux qui le caractérisent, nous dirons qu'il se distingue par l'art d'écrire pour les voix et par cette vérité simple des moyens, née d'une âme sincèrement chrétienne, qui fait qu'un accord s'établit naturellement entre la musique et, si je puis dire, les pierres mêmes de l'édifice religieux où cette musique chante. Dubois respecte toujours la pure tradition de la musique sacrée, qui ne doit pas chercher l'effet et ne doit pas être que l'élan d'une âme. Je ne peux entendre sans émotion son *Tu es Petrus*, à trois voix, si parfaitement agencées, qu'il donne l'impression d'une large polyphonie et d'une vaste prière à genoux.

Unité, harmonie : ces deux mots reviennent toujours quand on parle de Théodore Dubois, dont la vie ressemble à l'œuvre : dans sa famille, modèle d'union ; dans sa classe où sa conscience attentive ne néglige aucun des plus menus devoirs ; dans ses fonctions de directeur dont il se fit un sacerdoce ; ici même (en 1894, il fut élu membre de l'Académie des beaux-arts, occupant le fauteuil laissé vacant par la mort de Gounod) où sa discrétion devenait une force utile parce que, ennemi du vain bavardage, il ne parlait jamais (rare sagesse !) que de ce qu'il savait à fond, que des questions où, seul, il pouvait apporter le témoignage d'une compétence spéciale. Rappelez-vous le jour où, presque mourant, il est venu lire une note très courte et très nourrie. Il s'étonnait à bon droit que l'on marquât, pour les concours de Rome, une différence illogique entre les élèves des Beaux-Arts et les musiciens, que les premiers eussent le droit de choisir entre les deux sujets tandis que les seconds n'en avaient qu'un.

Notre confrère a vécu d'assez longues années dans la retraite, sans jamais se désintéresser de ce qui touche à notre art et notamment de son cher Conservatoire dont la bibliothèque fut un de ses grands soucis. Il aurait voulu, et nous en parlions souvent ensemble, que tous les trésors musicaux que nous possédons, dispersés actuellement à la Mazarine, à Sainte-Geneviève, à l'Arsenal, à la Nationale, aux archives de l'Opéra, fussent réunis soit au Conservatoire, soit dans quelque autre bâtiment spécialement affecté. Mais ne serait-ce pas une imprudence ? Est-il bien sage de grouper tant de chefs-d'œuvre dans un même local, et n'est-ce pas une grande tristesse que cette certitude logique où l'on doit être qu'il n'est pas d'édifice que l'incendie ou la guerre ne doive un jour détruire ? Tous les matins, de ma fenêtre, je contemple la magnificence ordonnée du Louvre, et tous les jours je tremble pour le Louvre. Nous sommes tombés d'accord qu'il valait mieux laisser au Conservatoire, les manuscrits de *Don Juan*, de l'*Appassionata*, les autographes de Berlioz, de Chopin et de tous nos maîtres ; à la Mazarine, cet incomparable recueil infolio dédié à Léon X, publié à Rome en 1516, qui réunit quinze messes, toutes de compositeurs français antérieurs à Palestrina, lequel leur doit beaucoup plus qu'on ne pense ; à Sainte-Geneviève, les premières éditions de Goudimel et de Costeley ; à l'Arsenal, les manuscrits de nos vieux trouvères ; à la Nationale, un fonds inépuisable encore inexploré dont Henri Expert, sous les auspices de notre Académie, établit, en ce moment, le catalogue ; à l'Opéra enfin, dangereusement logés sous les combles, les archives du théâtre lyrique français depuis 1712. Quelle perte en effet, si quelque accident stupide privait de ces documents l'histoire de notre art ! Dubois et moi-même, nous étions d'avis que, laissant donc ces trésors dans l'ordre dispersé qui peut-être les sauvera d'une disparition totale, il serait bon, du moins, d'en réunir les reproductions photographiques, méthodiquement cataloguées dans un local unique où les chercheurs pourraient venir les consulter. On aurait de la sorte tous les avantages de la concentration, sans en avoir les périls. Une institution de ce genre a toujours pour complément nécessaire la fondation d'une Société, dont les souscriptions financières, les initiatives et les activités l'alimenteraient. Ce serait, pour lui donner un nom, la *Société des Bibliophiles de la musique française*.

Théodore Dubois est mort dans la conviction généreuse que notre projet recevrait un jour, patronné par les pouvoirs publics aussi bien que par les munificences privées, la prompte réalisation qu'il souhaitait à notre art et à la France. Nous sommes responsables des trésors que nos prédécesseurs nous ont laissés, ne l'oublions pas.

———

Affiche pour le ballet de Dubois intitulé *La Farandole*.
(Collection Palazzetto Bru Zane.)

Poster for Dubois' ballet *La Farandole*.
(Palazzetto Bru Zane Collection.)

Un homme de son temps

Alexandre Dratwicki

Lorsqu'en août 1912, Théodore Dubois met un point final à ses *Souvenirs de ma vie* (destinés à l'édition, mais publiés seulement en 2008), il conclut : « Maintenant, à partir d'aujourd'hui, afin que ma mémoire ne me trahisse plus – comme je crains bien qu'elle ne l'ait fait maintes fois pour tout ce qui précède – je prendrai mes notes au jour le jour. Ce sera donc plutôt un journal que des souvenirs. » Joignant le geste à la parole, il rédige, à partir du 24 août 1912 et jusqu'au 21 décembre 1923 – peu de temps avant sa mort –, un journal intime auquel il confie régulièrement les faits les plus importants qui ponctuent son quotidien d'homme. C'est après la lecture émue de ces pages, conservées par les descendants de Dubois, qu'a commencé en 2010 la redécouverte de l'artiste. Et que de belles surprises elle réserva...

Dubois est l'archétype de l'artiste « officiel ». « Académique » dit-on aujourd'hui. Élève doué, né en 1837, il fait de brillantes études au Conservatoire de Paris, remportant de multiples récompenses notamment en piano et en composition, dont un premier grand prix de Rome (1861). De retour en France, il entame sans attendre le cours naturel d'une régulière et patiente ascension. Professeur d'harmonie au Conservatoire dès 1871, il y devient dix ans plus tard professeur de composition, puis est nommé directeur de 1896 à sa retraite en 1905. Parallèlement à ces activités, il assure différentes fonctions musicales au service de l'Église, en particulier à l'orgue de la Madeleine (1877-1896). Honoré par les milieux officiels, membre de l'Institut en 1894, Dubois eut à pâtir après sa mort de cette position privilégiée. Tout en restant fidèle à ses idéaux de clarté et de respect de la tradition, il était sensible aux avancées de son temps, comme en témoigne son adhésion précoce à la Société nationale de musique. D'inspiration éclectique, son œuvre vaste et variée touche à tous les genres, et se réclame autant de Franck et de Schumann, que de Brahms et de Saint-Saëns. Parmi les ouvrages permettant de se faire une juste idée de son style, la plupart était malheureusement oubliées et introuvables jusqu'à récemment. Un festival international dédié au compositeur en 2012, une quinzaine de parutions discographiques parues depuis lors et le présent *Portrait* favorisent désormais la reconsidération des préjugés tenaces dont Dubois est encore victime. Et avec lui toute l'École officielle « fin-de-siècle » balayée des mémoires par l'innovant symbolisme d'un Debussy et d'un Ravel.

Le choix est large – à dire vrai – des œuvres illustrant l'inventivité du compositeur et témoignant d'une réelle évolution de son écriture. On a retenu, pour le présent livre-disque, des ouvrages couvrant toute la chronologie du répertoire de l'auteur (depuis sa *Messe pontificale* écrite dès 1862 à Rome et présentée d'abord sous le titre de *Messe solennelle*, jusqu'aux symphonies des années 1910). On a également puisé dans des corpus très divers, de la *Sonate pour piano* aux pièces d'orchestre, du *Quatuor avec piano* aux motets pour La Madeleine.

Malgré l'éclectisme de son parcours et de son catalogue d'œuvres, la postérité n'a retenu de Dubois que l'image d'un artiste zélé à défendre les règles, capable seulement de les illustrer et de les théoriser dans des traités dont l'un fit date et ravive encore des souvenirs de bancs d'école à quelques-uns. L'image tenace qu'on associe par nature aux auteurs de méthodes est l'une des raisons du mépris dans lequel est tenu Dubois depuis sa mort, lui qui fut si prolifique en la matière. Une autre explication est sans doute la diffusion extrêmement importante de la partie la moins personnelle du corpus de l'auteur : celle constituée par la musique d'orgue et la musique religieuse. Publiées dès les années 1860, ces pages circonstancielles (principalement des motets de solistes), et – quoiqu'agréables – nécessairement limitées dans leurs ambitions, circulèrent dans toute la France et assirent la réputation du compositeur comme celle d'un homme de culte plus que de théâtre ou de concert. De fait, beaucoup continuent à ne connaître de Dubois que cette facette du compositeur.

On a choisi pour ce portrait discographique un ensemble de six motets présentant les diverses variantes du genre traité à plus de cent reprises par l'artiste, presque tout au long de sa vie. On trouvera ainsi un *Ave verum* à voix seule avec orgue, un *Panis angelicus* pour voix solistes, chœur et plusieurs instruments (qui valorise particulièrement le groupement typique d'un violon, un violoncelle, une harpe, un orgue et une contrebasse) et trois motets pour chœur et orgue avec contrebasse (un *O Salutaris* et deux *Ave Maria*, certains pouvant être chantés a capella). Enfin, un surprenant *O Salutaris* pour mezzo-soprano, chœur et orgue s'avère une parodie du mouvement lent de la *Deuxième Symphonie* de Beethoven, cette technique ancestrale étant un hommage aux maîtres du passé et non un clin d'œil ironique. Dubois utilisera à une autre occasion l'air « O Isis und Osiris » de *La Flûte enchantée* de Mozart pour une composition avec voix d'hommes et orgue. Ces six motets illustrent pour certains la vogue néo-palestrinienne imitant le dépouillement et la modalité de la Renaissance, pour d'autres le style opératique alors en vogue à l'église (notamment l'*Ave verum* à voix seule et orgue).

Relevant toujours du domaine de la musique sacrée, mais nettement plus ambitieuse, la *Messe pontificale* fut publiée en 1895. On sait aujourd'hui qu'elle est en fait nettement antérieure puisqu'elle est une révision partielle de la *Messe solennelle* que le compositeur avait écrite dans les années 1860, lors de son séjour à la Villa Médicis. Le règlement de l'Académie de France à Rome imposait en effet aux pensionnaires musiciens de première année l'envoi, à l'Académie des beaux-arts, d'une pièce de musique religieuse étoffée, le choix étant laissé entre messe, *Requiem*, *Te Deum* ou oratorio. Le rapport des membres de l'Institut, en 1863, loue sans réserve le travail du jeune compositeur :

Pour son travail de première année, M. Dubois a envoyé à l'Académie une Messe solennelle à grand orchestre. Dans cet ouvrage, traité avec l'habileté d'un musicien savant et sérieux, nous avons remarqué un Kyrie d'un style pur et suave ; dans le Gloria, un Qui tollis, écrit pour solo de ténor, avec chœur, d'un beau sentiment religieux ; nous signalerons aussi à la suite de ce même morceau, une fughetta parfaitement écrite pour les voix. Le Credo nous a semblé le morceau capital de l'ouvrage ; le Et incarnatus est et le Crucifixus sont des pages d'un sentiment noble et élevé. Nous louerons sans réserve les développements, l'unité de style et le caractère grandiose de ce Credo. Citons encore le Sanctus, *le* O Salutaris *et un* Agnus Dei *dont le sentiment mélo-dique et l'expression sont on ne peut mieux adaptés au caractère du sujet. [...] Les travaux de ce pensionnaire attestent de fortes et sérieuses études et font augurer on ne peut plus favorablement de son avenir.*

Cette messe fut éditée à Paris par Heugel, chez qui Dubois fit paraître la plus grande partie de son œuvre. Sa création parisienne eut lieu à l'église Saint-Eustache à l'occasion de la fête de Sainte-Cécile, en novembre 1895 (bien que Dubois évoque l'année 1896 dans les *Souvenirs de ma vie*). Le compositeur raconte :

> *En ce temps-là, l'Association des artistes musiciens fêtait la Sainte-Cécile par l'exécution d'une grande messe avec orchestre dans l'église Saint-Eustache. Je me souvins d'une* Messe pontificale *composée à Rome en 1862, comme envoi, et que je n'avais entendue qu'une seule fois à la Madeleine en 1870, dans de mauvaises conditions. J'eus le désir de la réentendre. Je la proposai au comité qui l'accepta. Mais je ne voulais pas la produire de nouveau sans lui faire un bout de toilette. Je la remaniai et réorchestrai entièrement ; elle fut très bien exécutée sous la direction de Lamoureux.*

La page de titre de la réduction pour piano signale un arrangement de l'œuvre pour quintette à cordes, harpe et deux orgues (l'un étant chargé des parties de vents). Malheureusement, ni la grande orchestration révisée ni la transcription pour petit ensemble ne sont plus aujourd'hui disponibles à la location. Les archives d'Heugel, acquises par Leduc et tout récemment par Music Sale, restent muettes concernant cette messe. Le présent enregistrement propose donc une transcription moderne, réalisée par Alexandre et Benoît Dratwicki à partir de la réduction pour clavier de Dubois, dans l'esprit des adaptations du XIXe siècle. L'arrangement sollicite, en plus du chœur et des quatre solistes (sopra-no, mezzo-soprano, ténor et baryton), une flûte, une clarinette, un bas-son, un cor, une harpe, deux violons, deux altos, deux violoncelles, une contrebasse et un orgue. Bienheureux revers du sort, après que le présent enregistrement a été réalisé, et dans l'élan de l'émulation provoquée par le festival consacré à Dubois en 2012, la Bibliothèque nationale de France a catalogué en 2014 un large ensemble d'œuvres de Dubois déclarées perdues et récemment retrouvées. Parmi elles figure, en sus du *Paradis perdu* ou de l'opéra *Aben-Hamet*, le manuscrit de la *Messe pontificale* dans sa « grande » version. Elle reste donc à enregistrer dans cette magistrale révision.

La *Messe pontificale* obéit au découpage traditionnel du genre. Le *Kyrie*, d'inspiration schubertienne, met en valeur le ténor pour la partie contrastante du *Christe eleison*. La texture chorale dense évolue de manière limpide non sans s'autoriser quelques élégantes modulations. D'allure très verdienne, l'entame du *Gloria* confie au baryton solo un thème héroïque et virilement scandé. Le reste du mouvement tire parfaitement profit des différents caractères du texte littéraire utilisé, le *Propter magnam* renouant avec l'esprit des messes classiques viennoises, introduit par un *Gratias* en forme de chœur de séraphins parfaitement angélique (parties féminines divisées à quatre voix). Le magnifique *Qui sedes* de la soprano solo, sur des balancements d'arpèges de la harpe, convoque toutes les caractéristiques de la sensualité d'opéra. Mais la reprise du *Qui tollis* héroïque du ténor solo coupe court à trop de sentimentalisme. Un *Quoniam* largement scandé conclut avec maestria. C'est également au baryton qu'est confiée l'amorce du vaste *Credo*. Sur des triolets de clarinette, la soprano introduit ensuite tout le charme des *cantabile* d'opéra italien pour le *Et incarnatus est* d'une grande sincérité de ton. La redite au chœur est indiscutablement l'un des moments les plus poignants de cette messe. Le très bref *Sanctus* s'enchaîne quasiment avec un original *O Salutaris* pour quatre solistes (la dernière réplique du chœur étant facultative d'après une indication de Dubois). Composé dans le style néo-palestrinien, cet *O Salutaris* referme la messe dans un climat d'intériorité loin du style pompier qu'on prête au compositeur. L'ultime *Agnus Dei*, pour soprano, ténor et chœur, participe de cet effacement du monumental au profit de l'introspection. L'émouvante mélodie accompagnée et ses commentaires poétiques de clarinette sont présentés d'abord isolément puis en dialogue entre les deux solistes. Un lumineux passage choral conduit vers une longue coda éthérée qui semble toucher du doigt le pardon divin.

Au contraire de la musique religieuse, le catalogue de musique de chambre de Dubois est impressionnant moins par sa quantité que par sa variété. Le compositeur illustre à peu près toutes les formations « classiques » de son temps (quatuor à cordes ; trio avec piano ; quatuor et quintette avec piano ; sonates pour violon, pour violoncelle, pour piano ; etc.) et innove même au contact de certains instruments plus modernes (*Fantasietta* pour flûte, alto et harpe ; *Dixtuor* pour quintette à cordes et quintette à vent ; etc.). Le présent *Portrait* a choisi comme exemple représentatif de cette production le *Quatuor pour violon, alto, violoncelle et piano*, publié en 1907. Il est écrit au moment où Dubois, en pleine possession de ses moyens musicaux, quitte le Conservatoire pour prendre sa retraite (1905). C'est en particulier à cette époque que le compositeur s'intéresse de plus près à la construction cyclique dont son maître César Franck était un fervent défenseur. Le final du *Quatuor avec piano* propose ainsi une récapitulation thématique finement maillée et analysée sur la partition par Dubois, qui indique aux instrumentistes la provenance et le type de transformation appliqués aux mélodies. D'une ampleur et d'une intensité toutes romantiques, le premier mouvement se distingue par son thème initial fiévreux et passionné. Mais ce sont surtout les développements de ce motif et de quelques autres qui montrent la parfaite maîtrise de l'harmonie que possédait Dubois, d'ailleurs professeur dans cette discipline et non pas en composition ou en contrepoint. Quoiqu'en bon organiste il maitrisât les techniques d'écriture fuguée, il préféra toujours favoriser les couleurs chatoyantes de l'harmonie à la sécheresse du travail contrapuntique. Le mouvement lent du *Quatuor* est un des sommets de l'œuvre chambriste de Dubois, au même titre que le sublime adagio du *Quintette avec piano*. Le timbre nostalgique de l'alto y fait merveille et, là encore, les détours harmoniques de la progression thématique sont d'une poésie frémissante. Spirituel, presque haydenien dans sa simplicité, le *Scherzo* est une révérence piquante au classicisme d'un autre temps. Il rappelle les mouvements similaires de la *Suite concertante*, des trios avec piano ou des quatuors à cordes, et apparaît – pour qui connaît Dubois – comme une signature caractéristique de l'auteur. Auditeur de la première exécution de l'œuvre, en 1907, Amédée Bourtarel écrira dans *Le Ménestrel* du 30 mars :

> À *la dernière séance du cercle musical de la rue de Clichy, un quatuor de*
> *M. Théodore Dubois, pour piano, violon, alto et violoncelle, a reçu l'accueil*
> *le plus chaleureux. De belles phrases chantantes se produisent à travers une*
> *texture faite de thèmes toujours mélodiques, une forme irréprochablement*

claire, sans bizarrerie et sans vulgarité, des motifs présentant un caractère bien tranché afin de constituer une œuvre sans monotonie, toujours attrayante et neuve, voilà les qualités maîtresses qui nous ont paru justifier les applaudissements réitérés du public.

S'il était sans doute meilleur organiste que pianiste (il avouait lui-même avoir commencé l'instrument trop tard pour en devenir un véritable virtuose), Dubois put compter toute sa vie durant sur les conseils pianistiques de sa femme, Jeanne Duvinage, concertiste appréciée du public parisien. Elle fut d'ailleurs la créatrice de certains des ouvrages de son mari, comme par exemple du *Concerto-capriccioso* datant des années 1870. La *Sonate pour piano*, éditée en 1908, profita certainement de judicieuses remarques techniques. L'écriture y est variée et ingénieuse, la pâte sonore, tantôt schumanienne tantôt éthérée, est parfois traversée d'éclairs héroïques. Certains traits techniques, notamment, nécessitent plus qu'un amateurisme de bon aloi. En *la* mineur, le premier mouvement déploie une thématique contrastée, dont le second motif est harmonisé avec esprit et poésie. Le mouvement lent est un vaste nocturne de forme tripartite, la reprise du chant élégiaque initial permettant une variation calme et soutenue. Le final débute par une cadence suspensive semblant retenir toute la fougue qui s'épanche ensuite d'un seul jet. Un très beau motif wagnérien montre que le maître de Bayreuth n'a pas été toujours dénigré par Dubois. *Le Ménestrel* voit dans cette *Sonate*

une des pages les plus fortes et les plus personnelles qu'ait écrites l'auteur de Xavière. Je signale cette belle œuvre à ceux qui prétendent que M. Th. Dubois n'est pas dans le mouvement... et d'abord le premier morceau, avec ses deux thèmes si caractéristiques, le premier fougueux, le second poétique, enveloppé d'harmonies charmantes ; le tout trituré, développé avec une étonnante habileté ; puis ce bel Andante à l'inspiration toute beethovénienne, que M. Risler a dit avec un admirable sentiment ; enfin le final, si bien rythmé, ardent, passionné, qui fit éclater la salle en applaudissements enthousiastes. Je le répète avec autant de franchise que de joie : une belle œuvre magnifiquement interprétée.

(*Le Ménestrel*, n° 21, 23 mai 1908, p. 168.)

Créateur de l'œuvre, il semble que Risler n'ait ensuite jamais cessé de la rejouer dans des contextes très variés. Dubois note ainsi dans son *Journal*, à la date du 11 mars 1913 :

> *Superbe exécution de ma* Sonate pour piano *par Risler, au Salon des musiciens français. Artiste merveilleux, Risler a pénétré et rendu ma pensée avec une force, un charme, une coloration tout-à-fait remarquable. Le public lui a fait un très gros succès bien mérité.*

La tradition symphonique du XIXᵉ siècle, riche des chefs-d'œuvre sans cesse rejoués de Beethoven, fut lourde à porter pour les compositeurs de la seconde période romantique. Dubois fut de ceux-là, qui ne se mesura que tardivement à ce genre exigeant, de même qu'il s'attaqua tard au quatuor à cordes. Lorsqu'il entame la composition de sa *Symphonie française*, en 1908, il a néanmoins derrière lui un solide métier orchestral déjà éprouvé dans certaines ouvertures de concert (l'*Ouverture de Frithiof*, en particulier, qui connut un grand succès) et différentes pages symphoniques d'opéras (*Aben-Hamet, Xavière*) ou d'oratorios (*Le Paradis perdu*). Dubois est très prolixe concernant la création et les reprises de la *Symphonie française* dans ses *Souvenirs* :

> *En 1908, je terminais la* Symphonie française *déjà sur le chantier. Cette symphonie fut exécutée à Bruxelles en novembre 1909, sous la direction magistrale du grand Ysaye. Je préférais donner la première audition à l'étranger, redoutant avec raison les avaries que le public des concerts Colonne et Lamoureux réserve trop souvent aux compositeurs qui ne craignent pas de l'affronter. J'ai bien fait. Non seulement mon œuvre eut un très vif succès à Bruxelles, mais depuis elle obtint le même succès à Paris, à la Haye, dans plusieurs villes d'Allemagne, à Nancy, à Boston. Cette année même (1912) où je l'ai dirigée moi-même aux Concerts Colonne, Pierné étant malade, ce fut un triomphe ! Songez donc ; retour de l'étranger ! N'ai-je pas déjà dit que le public semblait revenir envers moi à des sentiments meilleurs ? Il en est de même avec la presse, si souvent dure, malveillante, injuste autrefois. Je récolte peut-être un peu le fruit de ma persévérance et de ma sincérité artistique !*

La *Symphonie française* débute dans le même climat inquiétant qui ouvre la *Symphonie en ré mineur* de Franck, le maître de Dubois. Le rapprochement n'est pas fortuit : comme son professeur, Dubois reprend le matériau thématique dans une tonalité différente à peine l'exposition initiale terminée. L'*allegro* tourmenté s'appuie sur plusieurs motifs, le premier sinueux et aux intervalles sans cesse élargis, le second plus calme confié à la clarinette solo. En général, le discours est réparti aux différents pupitres de manière très morcelée, encore haché par diverses sonneries de cuivres. Le mouvement lent est étonnant de sobriété. Construit sous la forme de variations d'un thème populaire français d'abord joué au seul hautbois, et graduellement étoffé, il convoque peu à peu un instrumentarium d'une rare opulence chez Dubois, jusqu'à un célesta utilisé avec raffinement. Le final, aux scansions de cuivres triomphants, fait entendre subrepticement la *Marseillaise*, mais sans que le compositeur n'appuie avec vulgarité cette citation. Dans son *Journal*, Dubois relate des exécutions de l'œuvre à Paris, Monte-Carlo, New-York, chaque fois semble-t-il avec un succès important. Les deux dernières mentions sont datées du 31 janvier 1919 (« Ma *Symphonie française* a eu beaucoup de succès aux concerts Pasdeloup. Très bien dirigée et très bien jouée, elle a fait un effet vraiment grandiose et chaleureux ! J'en suis content. ») et du 17 janvier 1922 (« J'ai oublié de mentionner que ma *Symphonie française* avait été jouée en décembre à la Société des concerts. Exécution admirable ! Accueil très chaleureux ! »). Le titre de l'œuvre lui profita pendant la guerre, certains programmateurs l'utilisant à des fins patriotiques faciles mais efficaces.

Achevée en 1912, la *Symphonie n° 2* connut une vie bien plus compliquée que la précédente. Ni son langage ni son orchestration n'en sont pourtant radicalement différents. Dubois raconte :

Première audition de la Symphonie. *Le premier morceau est fortement applaudi, probablement trop au gré de certains énergumènes des galeries supérieures, car ils ont commencé à faire du boucan, et ils ont continué jusqu'à la fin, à siffler, à chanter, à faire des lazzis même pendant l'exécution, de façon à* empêcher *d'entendre et à faire de l'obstruction ! C'était honteux ! Cette bande de cannibales ne veut rien en dehors de ce qui sort de sa boutique, et je crois bien que la boutique, c'est la Schola cantorum. On me le dit de tous côtés. Mon nom sur une affiche suffit à les mettre en fureur ! Un vieux qui produit encore ! Ça les gêne ! Enfin, j'ai passé un assez mauvais après-midi, d'au-*

tant plus que je savais ma pauvre femme dans la salle ! Elle a été très coura-
geuse, et a bien supporté l'algarade ! Dans les premiers bruits de protesta-
tion, j'ai distingué de la place où j'étais dans la coulisse, le mot « Institut »,
d'où j'ai conclu qu'on voulait par là reprocher à Pierné de jouer un membre
de l'Institut, me faisant ainsi sa cour en vue des élections futures ! Pierné
a-t-il senti le coup ? Je le croirais volontiers, car son attitude a été plutôt molle.
Il n'a pas eu l'énergie nécessaire pour tenir tête à l'orage. S'il avait arrêté l'exé-
cution, se tournant vers les perturbateurs (ce qu'auraient fait Colonne et
Lamoureux dans leur temps) et disant : « Messieurs, je continuerai quand
vous permettrez au public d'entendre », les choses auraient tourné autrement.
Mais non, il avait l'air gêné et mettait, je ne sais pourquoi, un espace intermi-
nable entre chaque partie de l'œuvre !
(*Journal*, 10 novembre 1912.)

Il ajoute, le lendemain :

La presse n'est pas trop mauvaise. Je dois dire que toute la critique blâme
énergiquement l'attitude de cette bande d'apaches qui pratiquent si bien et
si honteusement le sabotage artistique ! J'ai compris que ce qui servit de pré-
texte à ces malfaiteurs, c'était une ressemblance avec les trois premières notes
de Vision fugitive de Massenet. Il est vrai qu'il y a là une petite réminis-
cence involontaire, mais que le compositeur à qui cela n'est jamais arrivé me
jette la première pierre. De plus célèbres que moi ont eu de ces réminiscences :
a-t-on jamais reproché à César Franck la similitude absolue du thème initial
de sa belle symphonie avec un des thèmes de la Walkyrie ? A-t-on reproché
à Ambroise Thomas d'avoir emprunté note pour note tout le début des stances
du Songe d'une nuit d'été à un lied célèbre de Schubert ? Et Richard
Strauss, dont la plupart des motifs d'Elektra semblent plagiés, en dépit de
légères déformations, sur ceux d'un opéra italien, inconnu du reste : Cassandra,
de Gnocchi ? Qui a jamais songé à en faire un crime à des maîtres ? Mais
moi, c'est différent, « je suis ce pelé, ce galeux ! »
(*Journal*, 11 novembre 1912.)

Conscient que cet emprunt involontaire puisse être souligné par les
commentateurs, Dubois s'empresse de vouloir le faire disparaître. Il
semble toutefois qu'Heugel ait refusé de réimprimer la partition et les
parties avec les corrections apportées. C'est toujours un exemplaire
soigneusement barré qui est proposé à la location aujourd'hui, por-

tant les traces du repentir et permettant le cas échéant de jouer la symphonie dans sa première version. Par respect pour les modifications souhaitées par Dubois, le présent enregistrement tient néanmoins compte de toutes les coupures signalées, y compris dans un autre mouvement que celui utilisant le motif de Massenet. À ce sujet, Dubois signalait dans son *Journal* qu'il ferait « de légers changements pour faire disparaître la réminiscence incriminée » et qu'il « allégerait un peu l'adagio » (25 novembre 1912). Non sans évoquer *Une nuit sur le Mont chauve* de Moussorgsky, le premier mouvement de cette symphonie exploite un motif fortement dissonant, tournoiement chromatique autour d'une note pivot. Il n'est que le halo sonore du premier thème à proprement parler qui émerge du grave de l'orchestre. Clarinette basse et contrebasson sont ici régulièrement sollicités, et cette sonorité si particulière doit être signalée comme l'une des originalités de la partition. Ce mouvement initial se fonde non pas sur deux idées principales mais sur quatre, ce qui enrichit considérablement la variété des développements. Le mouvement lent foisonne lui aussi de recherches orchestrales. Des textures de cordes chromatiques convoquent à nouveau la mémoire de César Franck, tandis que les ciselures du second motif favorisent une superposition finale des deux idées mélodiques. Le *scherzo* est une réminiscence aimable de Mendelssohn, et le soleil d'Italie dont Dubois a tant vanté les charmes scintille ici tant dans le staccato des bois que dans le chant expressif des violoncelles. On croit entendre un mouvement inédit de la symphonie italienne du compositeur allemand. Point d'humour primesautier, si ce n'est dans la dernière gamme de flûte qui achève en clin d'œil une danse indéfinissable. Avec la véhémence d'un Schumann, le finale s'élance noblement et traverse avec éclat les paysages les plus contrastés. Les cuivres sont ici plus présents et rappellent les sonorités flamboyantes du final de la *Symphonie française*. Le cyclisme de l'œuvre se résume à une récapitulation thématique sommaire mais dont la redite du mouvement lent interrompt avec surprise et efficacité le discours. Avant lui, le sombre thème du premier mouvement avait reparu, suivi du motif lyrique d'altos cette fois joué avec fierté à la trompette. C'est presque du Chausson que l'oreille découvre. Le mouvement s'achève « con brio » et revisite l'image d'un Dubois compassé et réservé. Après une exécution en Belgique, en 1913, le compositeur écrira :

L'Indépendance belge *constate mon évolution ! Je suis franckiste, d'indyste, et « je tends la main » aux jeunes ! De réactionnaire, me voilà maintenant dans le train ! C'est amusant. À Paris, j'ai été sifflé comme pompier. Ici, je suis acclamé comme avancé. Je suis tout simplement indépendant et ne veux faire partie d'aucune coterie.*

(*Journal*, 23 novembre 1913.)

———

Dubois et son secrétaire général du Conservatoire, Bourgeat.
(*Musica*, août 1903.)

Dubois with his *secrétaire général* Bourgeat at the Conservatoire.
(*Musica*, August 1903.)

Souvenirs de ma vie

Théodore Dubois

C'est en 1909 que Théodore Dubois commence la rédaction des Souvenirs de ma vie, *prévus pour la publication mais jamais édités, notamment suite aux aléas de la guerre de 1914. On en donne ici quelques passages présentés dans l'ordre chronologique, invitant le lecteur curieux à consulter l'intégralité du texte paru aux éditions Symétrie et Palazzetto Bru Zane en 2008.*

ADMISSIONS AUX RÉPÉTITIONS DE LA SOCIÉTÉ DES CONCERTS

C'est encore à lui [Ambroise Thomas] que je dois, comme tous mes camarades d'alors, d'avoir entendu à l'orchestre les œuvres symphoniques des grands maîtres classiques, et j'en suis profondément reconnaissant à sa mémoire. À cette époque, il n'y avait pas encore les grands concerts symphoniques fondés depuis par Pasdeloup, Colonne et Lamoureux. Seuls les concerts du Conservatoire existaient, mais n'étaient abordables que pour les rares abonnés. Ambroise Thomas eut l'idée de demander au comité de la Société l'entrée des répétitions générales pour les élèves des classes de composition, afin de former, de développer leur goût, de compléter leur éducation musicale par l'audition des chefs-d'œuvre qui composaient le répertoire de cette célèbre Société. Cette faveur fut accordée. Dès lors je ne manquais pas une répétition du samedi. Ainsi je m'initiai, partition en main, aux admirables conceptions de ceux qui devaient nous servir de modèles ; ainsi je pénétrai les secrets de la forme, des développements, des combinaisons orchestrales, des sonorités, de la puissance expressive d'un tel ensemble. Tout un monde d'idées s'éveilla en moi et mon amour de la musique s'en accrut merveilleusement.

ŒUVRES DE CÉSAR FRANCK

La fréquentation journalière de César Franck m'apprit à aimer et à admirer ce grand artiste. J'eus la bonne fortune de voir éclore et d'accompagner *le premier* sa *Messe*, ses motets, ses beaux offertoires, parmi lesquels : *Dextera Domini* ; *Quae est ista* ; *Offertoire pour le carême*, œuvres de tout premier ordre par leur sentiment élevé, leur facture magistrale, leur harmonie puissante et personnelle. Quel contraste avec les œuvres qu'on avait l'habitude d'entendre alors dans la plupart des églises de Paris ! Ce fut le commencement d'une réaction contre la banalité et le mauvais goût qui ne sont pas encore, après tant d'années hélas ! entièrement bannis du répertoire des maîtrises ! Plus tard, à mon retour de Rome, je vis l'éclosion du recueil des superbes pièces d'orgue et, le premier, j'aidais l'auteur à tirer les registres lorsqu'il les étudiait au grand orgue. Ces souvenirs me sont chers parce qu'ils me rappellent le noble artiste qu'était César Franck, la sympathie affectueuse dont il m'honorait, et aussi la forte impression que ces œuvres, d'un style si nouveau pour moi, produisaient sur mon esprit. Je n'étonnerai personne en disant que les fidèles de Sainte-Clotilde étaient quelque peu réfractaires aux productions du maître de chapelle. Ils préféraient les banalités du répertoire courant. N'en a-t-il pas toujours été ainsi et ne voit-on pas que le temps finit par mettre toutes choses à leur place et aujourd'hui le monde de César Franck est justement admiré ! L'extérieur de l'artiste était peu en harmonie avec son talent, avec son génie. N'était le regard vif plein d'intelligence et de feu, on l'eût plutôt pris au repos pour quelqu'honnête bourgeois provincial. Mais dès qu'il parlait il se transformait, fixait l'attention par la conviction, par l'ardeur de sa parole, par ses aperçus élevés sur l'art, sur la littérature, devenait persuasif, presque fascinateur ; on sentait qu'on était en présence d'une puissance, d'une volonté ! Il est du reste peu de jeunes artistes l'ayant approché qui n'aient subi à un degré quelconque son influence.

TANNHÄUSER À L'OPÉRA

Vers la fin de cette année 1861, on donna à l'Opéra le *Tannhäuser* de Richard Wagner. Je voulus entendre cet ouvrage qui faisait à Paris un tapage infernal et soulevait les discussions les plus diverses et les plus passionnées. Jules Lefebvre désira m'accompagner ; notre bourse à tous deux étant fort plate, nous louâmes pour la troisième représentation deux places au poulailler. Bien nous prit de nous dépêcher, car ce fut la dernière. Elle ne put même aller jusqu'au bout, tellement le vacarme fut formidable. Je me souviens qu'à un certain moment les artistes, sous les sifflets les plus véhéments, restèrent courageusement sur scène pendant vingt minutes sans pouvoir continuer ! Indigné, ne me rendant pas très bien compte d'un pareil déchaînement, j'appris qu'il était surtout le résultat d'une cabale, car la musique ne me paraissait pas tellement révolutionnaire qu'elle dût exciter et mériter de semblables fureurs ! Depuis, quel revirement pour Richard Wagner ! Les mêmes personnes qui sifflaient ardemment en 1861, sans du reste savoir pourquoi, applaudissent aujourd'hui frénétiquement avec la même inconscience et la même incompétence. La valeur des œuvres finit par s'imposer et, pour ne pas avoir l'air retardataire, on applaudit, sans comprendre davantage et voilà ! Et ce sont les suffrages de ce public que le compositeur recherche ! Il les obtient rarement de son vivant, mais quand les passions sont apaisées, que le temps a fait son œuvre, la justice apparaît et une gloire posthume vient jeter son auréole, sur un nom jadis dédaigné et méconnu. Qu'il me suffise de citer en France Berlioz et César Franck ! Je ne dirai pas que j'appréciais complètement à cette époque l'art nouveau et l'esthétique nouvelle de Wagner ; cet art et cette esthétique différaient tellement de ce que j'étais habitué à aimer et à pratiquer que j'en étais tout troublé. Je sentais pourtant là une grande force, une grande puissance dont l'influence serait certainement très grande sur l'art théâtral mais j'avais en même temps l'intuition – je ne saurais dire pourquoi – que les compositeurs français, tout en cherchant à se rapprocher de la vérité dramatique, devaient garder leur personnalité et ne pas essayer de faire œuvre d'imitation en marchant dans le sillon de ce grand novateur en train de révolutionner le monde musical. Je dois dire que, à cet égard, je n'ai pas changé d'opinion.

AMBROISE THOMAS

J'allais souvent voir mon maître Ambroise Thomas qui ne cessait de me témoigner une réelle sympathie. C'était généralement le matin. Il habitait en appartement rue Saint-Georges. Il venait m'ouvrir lui-même, en bras de chemise, fumant un éternel cigare qu'il laissait toujours éteindre et qu'il rallumait sans cesse à une éternelle bougie à demeure sur sa cheminée. Son appartement était encombré de bibelots, car il était collectionneur passionné et assidu de l'Hôtel des ventes. Nous causions quelques instants ; il s'intéressait à mes projets. Je lui confiais les difficultés au milieu desquelles je commençais à me débattre : il les connaissait et me promettait de m'aider autant qu'il le pourrait, après quoi je le laissais à ses travaux. Un jour il me donna une grande preuve de confiance dont je fus fier et heureux. Il s'agissait de transporter *Mignon* sur les scènes italiennes. Pour cela, il fallait transformer les dialogues en récitatifs. Étant occupé à d'autres travaux, et la chose étant pressée, il me demanda de composer ces récitatifs, ce que je fis de mon mieux. Il les retoucha légèrement par endroits et la partition fut publiée avec cette nouvelle version. Bien entendu la chose reste entre nous, et si je consigne ici ce souvenir que personne ne connaît, c'est par amour de la vérité et non pour me vanter d'un travail bien modeste.

LISZT AU GRAND ORGUE DE SAINTE-CLOTILDE

Un autre souvenir très vif se présente ici à mon esprit, où il a laissé une trace durable. Il se rattache à deux grands artistes : César Franck et Franz Liszt. Le premier venait de composer ses six belles grandes pièces d'orgue et le second lui avait promis de venir les entendre à la tribune de l'orgue de Sainte-Clotilde. Il fallait les voir travailler et, comme je l'ai dit déjà, j'aidais l'auteur pour la registration. Après pas mal de séances, quand tout fut bien réglé, au jour dit, Liszt arriva à la tribune et écouta religieusement ces belles pièces qui parurent produire sur lui une grande impression. Il félicita chaleureusement Franck pour qui il paraissait ressentir de l'admiration et se retira. Je venais évidemment d'assister à quelque chose de peu banal : la rencontre de ces deux artistes éminents, avec moi seul comme témoin ! Ils n'avaient recherché ni l'un ni l'autre à faire de la réclame !

CONCERTS PASDELOUP

J'ai dit que les seuls concerts symphoniques étaient ceux qu'avait fondés Pasdeloup peu d'années auparavant. Il les donnait au Cirque d'hiver et au Cirque d'été aux Champs-Élysées (démoli depuis), selon la saison. Il faut lui savoir gré de l'initiative qu'il a eue. Elle a porté ses fruits ! De cette époque date réellement pour la France une espèce de renaissance de la musique dans les masses. Jusque-là une élite très restreinte suivait les concerts du Conservatoire, fondés en 1827 par Habeneck ; et c'est tout ! Le grand public ne connaissait rien en dehors de la musique de théâtre. Les jeunes compositeurs eux-mêmes, n'ayant pas de débouchés, dirigeaient tous leurs efforts vers le théâtre ; c'est pourquoi, au contraire de l'Allemagne, si peu d'œuvres orchestrales surgissaient en France. Bizet et Massenet furent les premiers, je crois, qui ouvrirent la route : celui-là avec *Roma* (ouverture), celui-ci avec une *Suite d'orchestre*. Saint-Saëns avait aussi produit quelques œuvres symphoniques jouées à la Société Sainte-Cécile dirigée par Seghers.

SOCIÉTÉ NATIONALE

À peu près à la même époque fut fondée, sous l'impulsion de Romain Bussine, professeur de chant, la « Société nationale de musique ». Son but était de faire entendre les œuvres de tous les jeunes compositeurs français, quelles que fussent leurs tendances, pourvu qu'ils aient du talent. Je fus l'un des fondateurs, et il suffira de citer quelques-uns des membres du comité qui se sont succédé dans les premières années pour montrer l'éclectisme de l'œuvre : Saint-Saëns, Taffanel, Bussine, Lalo, Gouvy, César Franck, Guilmant, d'Indy, moi, Lascoux, Duparc. Une scission s'est produite plus tard à la suite de laquelle Lalo et moi avons donné notre démission. Depuis, la Société nationale de musique est restée toute entière aux mains de la *Schola Cantorum*, dirigée par monsieur d'Indy. C'est-à-dire qu'elle est loin d'être éclectique et que le sectarisme y règne en maître. Le fond des programmes était surtout la musique de chambre et de chant ; quelquefois des concerts d'orchestre, à la suite desquels les morceaux qui avaient été les plus appréciés avaient les honneurs des concerts Colonne. C'est ainsi que furent joués à ces derniers concerts ma *Suite villageoise* et mon *Ouverture de Frithiof*.

Page de titre de la réduction pour piano de *Xavière*, opéra de Dubois.
(Conservatoire de Genève.)

Title page of the piano reduction score of Dubois' opera *Xavière*.
(Geneva Conservatoire.)

Le « Journal »

Alexandre Dratwicki

Dubois a laissé deux textes manuscrits à la postérité, dans lesquels il livre à la fois une narration de sa vie d'artiste, et simultanément des avis sur la musique en France entre 1850 et 1920 : les *Souvenirs de ma vie* (qui couvrent la période 1837-1912) et un *Journal* intime au jour le jour (qui va de 1912 à 1923, s'arrêtant quelques mois avant la mort du compositeur).

Les *Souvenirs* – écrits avant la guerre – adoptent un ton consensuel parce qu'ils portent un regard sur une époque qui n'avait alors rien de finissante dans l'esprit du rédacteur, et sur des artistes et des concepts encore d'actualité. Dubois, académicien respectueux, n'a pas souhaité écorner là un monde dont il était, sinon le héraut, du moins l'un des personnages officiels. L'immédiat avant-guerre a pourtant commencé à tourner une page d'histoire que le conflit mondial allait littéralement déchirer. Le fait que les *Souvenirs* soient restés à l'état de manuscrit prouve qu'ils étaient déjà considérés, à partir des années 1914, d'un autre temps, par la forme comme par le fond. Dubois n'a – semble-t-il – pas cherché à les publier après 1918.

Le *Journal*, lui, doit se lire autrement. On y trouve encore cette personnalité attachante, qui peut paraître fade aux yeux de certains (comparée aux égos tapageurs d'un Berlioz ou d'un Debussy), mais on y découvre surtout un artiste sincère qui n'a plus à cultiver les susceptibilités de relations professionnelles omniprésentes. Le ton, volontiers incisif, est davantage affirmé que dans les *Souvenirs*, et l'homme ne déguise pas son incompréhension pour la musique « du futur ».

La publication du *Journal* de Dubois a eu lieu tout récemment, en 2013. Outre qu'elle complète chronologiquement celle des *Souvenirs de ma vie*, elle affine surtout la connaissance de l'évolution esthétique d'un compositeur « romantique » bientôt submergé par les sacs et ressacs d'une modernité qui l'éprouve. Le *Journal* est différent des *Souvenirs* parce qu'il donne lieu à un discours critique sur la jeune génération – Ravel, Stravinski et Milhaud seront les plus durement écorchés – et sur l'évolution du langage musical, bientôt taxé d'« ultrafuturiste » (30 mai 1913). Dubois ne s'embarrasse pas de bienséance lorsqu'il écrit, le 25 avril 1914 : « Quant à moi, j'adore la musique, mais pas celle-là ! ». Il avait déjà noté, deux ans plus tôt :

> *Il est remarquable comme nos jeunes compositeurs négligent le charme. On dirait qu'ils en ont peur ! Leur principale préoccupation semble être d'étonner par des combinaisons de sonorités ou d'harmonies « rares » ! Comme si c'était là toute la musique ! Les pauvres !*
> (16 décembre 1912.)

Si Dubois reproche par exemple à Maurice Emmanuel « une modernité [qui] se borne à la recherche d'harmonies quintessenciées et inutiles » (17 mai 1913), c'est surtout Stravinski qui l'agace, par ce qu'il conviendrait d'appeler un métier mal employé :

> *Je vais [...] entendre* Le Sacre du printemps *de Stravinski. C'est un art qui n'a plus rien de musical. Des bruits faits avec des notes, et c'est tout ! L'auteur a du talent et a des adeptes passionnés ! C'est une musique terrible, agressive, à faire hurler par moments, hérissée de fausses notes, de heurts violents, le tout fait volontairement, avec une adresse incontestable. Les peintres ont le genre cubiste. Eh ! bien les musiciens ont maintenant le leur !*
> (25 avril 1914.)

Ravel, comme Stravinski, est lui aussi condamné sans appel :

> *Après avoir applaudi la* Première Symphonie *de Schumann et ma* Fantaisie, *[le public] a accueilli frénétiquement une suite :* Daphnis et Chloé, *de Ravel, qui est bien la chose du monde la plus baroque, la plus décousue, la plus longue, la moins musicale qu'on puisse imaginer. C'est tout ce qu'on voudra, très habilement fait, tout excepté de la musique. Du bruit, des rythmes heurtés, des rencontres de notes terribles, des fourmillements déséquilibrés à se croire parfois dans une maison d'aliénés ! Eh bien ! tout cela passe et secoue les nerfs du public. Nous sommes évidemment à une époque de décadence.*

[...] En art, personne ne se soucie plus de la facture, du développement, de l'équilibre d'une œuvre. J'ai de la peine à m'y faire, et ne m'y ferai certainement pas, et je crois que je mourrai dans l'impénitence finale. Je me demande cependant si cela aura une fin ou si nous assistons à l'avènement d'un art nouveau ! Je suis trop âgé maintenant pour voir la suite... ! D'aucuns disent que tout-à-coup, un jour, surgira un compositeur qui fera une œuvre simple, mélodique, expressive, allant tout droit au cœur de la foule, que celui-là mettra par terre tous les tarabiscoteurs actuels. Dieu le veuille !

(26 février 1923.)

Le summum sera toutefois l'éclosion du Groupe des Six – lequel, selon Dubois, « s'est formé peu à peu, se faufilant par intrigues et par argent, et aussi par l'imbécilité du public » (30 août 1923) – juste après-guerre, et en particulier la polytonalité défendue ardemment par Milhaud.

Il paraît qu'on a joué ces derniers temps de la musique folle chez Colonne d'un jeune esthète : Darius Milhaud. Ce serait, m'a-t-on dit, de la musique polytonique [sic] ! Tout est possible. On aurait fortement chahuté ! On a tort. C'est faire leur jeu. Le dédain conviendrait mieux. Un homme fortement sifflé est sur le chemin de la célébrité !

(20 novembre 1920.)

Par opposition, Dubois inscrit certains de ses contemporains – parfois plus expérimentaux que lui – dans une veine postromantique qu'il apprécie. Une façon d'afficher son ouverture d'esprit. Alfred Bruneau, notamment, mais surtout le plus consensuel Jules Massenet :

Répétition générale : Panurge de Massenet. Charmante musique, naturelle, franche. Cela repose de toutes les excentricités, gammes par tons, tonalités absentes, trompettes bouchées, rythmes amorphes, etc., etc., dont on nous abreuve en ce moment ; je devrais dire : dont on nous empoisonne. Si la première musique que j'ai entendue avait été celle d'aujourd'hui, je ne serais certainement pas musicien ! Ah ! non !

(23 avril 1913.)

Pour contrer cette nouvelle esthétique, dont Dubois ne mesure pas vraiment la pluralité des inspirations et la variété des mises en œuvre, l'artiste prône des valeurs sûres parmi lesquelles Saint-Saëns passe encore pour un prophète : « Saint-Saëns a 78 ans ! Quelle verdeur encore et quel feu ! Il a joué [...] un *Quintette* de lui avec piano, qui est une merveille de charme, de grâce, de construction, de clarté. Ah ! les jeunes peuvent venir puiser là des leçons ! Mais ils ne viennent pas. Hélas ! » (6 novembre 1913). Dix ans plus tard, au seuil de la mort, Dubois s'amusera à dresser un bilan de la postérité de ceux qu'il connut et de ceux qu'il apprécia :

> Je passe en revue les œuvres des compositeurs les plus marquants de notre époque et de celle qui a précédé. C'est très intéressant ! Pour certains il y a du déchet, surtout pour ceux qu'un certain engouement irréfléchi avait placés trop haut. Je ne citerai pas ici tous les noms. Je dirai seulement que Saint-Saëns reste en bonne première place ; que Franck avait été un peu trop glorifié ; que Chabrier descend de plusieurs crans ; que l'art de Debussy n'est pas viable, étant d'une monotonie insupportable, sans idées, sans mélodies, sans rythmes quoique plein de talent ; que Gounod et Massenet ne méritent pas le dédain que leur témoigne certaine jeune école arriviste et impuissante ; que leurs œuvres sont souvent inspirées et braveront le temps ; que la jeunesse actuelle d'avant-garde est prise d'une sorte de folie destructrice de toute tonalité, de tout rythme, de toute mélodie, de toute construction, de tout ce qui constituait autrefois la musique ! Comme on le voit, j'en cite peu. C'est assez pour montrer où j'en veux venir.
>
> (6 septembre 1922.)

On aurait cependant tort de croire que Dubois grimace à toute musique avancée et ne prête de talent à aucun des jeunes compositeurs qu'il fréquente, par amitié ou dans les concours dont il est souvent membre du jury. De la jeune Lili Boulanger, il écrit qu'« elle est remarquablement intelligente et bien douée » (4 juillet 1913) et lui prête des « dons réels » (4 décembre 1920) trop tôt gâchés par un décès précoce. Plus visionnaire encore (du moins dans une France qui méconnaîtra longtemps tout une partie du postromantisme allemand), il est l'un des premiers à trouver en Brahms l'éclat d'un génie très personnel, à une époque où le compositeur allemand n'est encore regardé qu'avec suspicion ou dédain.

> Nous avons joué [avec ma femme] des symphonies de Brahms à quatre mains. Je ne comprends pas du tout la froideur du public français à l'égard de ce com-

positeur. Ses œuvres ont une solidité, une puissance de construction remar-
quable. Les harmonies serrées, savoureuses, la déduction, l'intérêt, le caractè-
re des développements en font un disciple fervent de Beethoven et de Schumann.
[...] On se sent en présence d'un maître inspirant l'admiration et le respect.
Du moins, c'est l'impression que, moi, je ressens de ses œuvres, et je répète que
je ne comprends pas la froideur, je dirai même le dédain du public !
(23 juin 1913.)

« NOUS SOMMES DONC DANS LES TÉNÈBRES ! »
(7 AOÛT 1914)

Depuis plusieurs jours une grande inquiétude règne dans l'Europe entière.
L'Autriche déclare la guerre à la Serbie, et on est dans l'attente d'événements
qu'on pourra peut-être éviter, mais la situation est extrêmement grave. D'un
côté la triple Alliance ; de l'autre la triple Entente ! Il ne faut qu'une étincelle
pour mettre le feu aux poudres et embraser l'Europe ! Que va-t-il advenir ?
(30 juillet 1914.)

Tandis que la Première Guerre mondiale déchire l'Europe, on imagine mal aujourd'hui comme tout divertissement est rapidement
banni du quotidien des Parisiens – un temps du moins –, bouleverse-
ment qui touche en particulier les artistes, n'ayant subitement plus
de raison d'être dans un monde où l'accessoire devient superficiel.
Dès le mois d'août 1914, Dubois note : « La pauvre musique est bien
délaissée. Je n'ai ni le cœur ni le courage de m'y remettre. On ne peut
distraire son esprit des événements si graves qui nous entourent, qui
nous étreignent ! » (21 août 1914) ; il ajoute quelques semaines plus
tard : « Composer ? Quoi ? Sur quel sujet ? On se demande à quoi
bon ! » (19 septembre 1914). Les seuls moments – très rares – où l'artiste (âgé de plus de 75 ans) se sent utile sont les quelques concerts
caritatifs destinés à redonner du moral aux soldats en permission.
L'ancien improvisateur use alors de son talent pour soulager un ins-
tant les peines et raffermir le patriotisme de ses concitoyens :

J'ai tenu l'orgue à la Madeleine de Mont-de-Marsan dimanche dernier 18. La
cérémonie [...] avait lieu pour la Croix rouge. Elle était très impressionnante,

surtout au moment de la sortie de tous les soldats blessés qui avaient voulu
y assister. Je croyais être tout-à-fait rouillé comme organiste, mais il me
semble que je m'en suis tiré assez convenablement. En raison de la circons-
tance, j'ai fait intervenir, dans une improvisation un peu préparée, des frag-
ments de la Marseillaise *et l'hymne russe. Cette combinaison a paru toucher*
les assistants.

(21 octobre 1914.)

Moteur de ce patriotisme, une haine rapidement exacerbée pour
« l'Allemand » perce très vite dans le journal « de guerre » de Dubois,
qui n'hésite pas à écrire dès le 5 août 1914 : « Sous tout Prussien se
cache décidément un barbare. » Alors que Dubois fait généralement
montre d'un caractère doux et tempéré, lié sans doute à une timidi-
té dont il ne s'est jamais départi (elle-même causée par un léger
bégayement qu'il évoque dans les *Souvenirs de ma vie*), les atrocités de
la guerre font naître en lui une répulsion pour l'Allemagne et ses habitants qui se transforme vite en une véritable obsession. Elle s'explique
sans doute par le carnage dont la région de Reims est victime, située
sur les lignes les plus meurtrières du front, après Verdun. Originaire
d'un petit village proche de Reims – Rosnay – où il possède une maison de campagne qui avait été celle de ses parents, Dubois découvre
chaque jour dans la presse les malheurs dont les environs sont acca-
blés. Dès septembre 1914, il se désespère : « Les communiqués nous
apprennent que les Allemands *bombardent la cathédrale de Reims* ! Il
ne manquait à leur actif que cet acte de vandalisme ! Ils ne méritent
plus que le mépris ! » (21 septembre 1914) ; il ajoute le lendemain : « Il
ne reste que des ruines de notre belle cathédrale ! Peut-on imaginer
rien de plus sauvage qu'un tel acte et y a-t-il des termes pour la qualifier ? Les larmes me viennent aux yeux en y songeant. Cette magnifique basilique avait tant de souvenirs pour moi ! Ah ! les vandales !
Et ils se disent civilisés ! » (22 septembre 1914.) Peu à peu le terme de
« Boche » remplace celui d'« Allemand » sous la plume de Dubois, qui
finit par stigmatiser presque quotidiennement ce peuple : « Les
Allemands font la guerre en barbares. […] Singulière mentalité ! Orgueil
immense, hypocrisie, instincts ancestraux se réveillant, malgré la
Kultur dont ils sont si fiers et qu'ils proclament avec tant de superbe
et d'arrogance ! » (31 octobre 1914.) D'abord confinée à la ligne de front,
la guerre d'artillerie – dont Dubois ne perçoit la réalité que par le

prisme déformé des journaux parisiens – touche peu à peu Paris lorsque l'aviation allemande et l'utilisation quotidienne de zeppelins (puis du célèbre canon appelé la « Grosse Bertha ») mettent chaque jour en danger les habitants de la capitale. À partir de ce moment, Dubois se sentira plus directement concerné par des scènes de détresse qui le marqueront à vie et, en vieillard en partie retiré du monde, il nourrira un implacable désir de vengeance.

> *Les Boches continuent à faire la guerre avec la brutalité, la férocité qui les distinguent. Tout ce qui peut faire du mal à l'ennemi est bon ! Voilà le principe qui les dirige ! Et nous, nous continuons à y mettre des formes, à vouloir être humanitaires. Aussi se gaussent-ils de nous ! Ils signent des traités avec la ferme volonté de n'en pas respecter les clauses. Nous sommes toujours les dupes. Moi, je voudrais des représailles terribles ! Mais allez donc dire cela à nos bons socialistes, internationalistes plus ou moins bêlants ! Des idéologues, des rêveurs, des utopistes ! Ah ! que j'enrage !*
>
> (19 juin 1917.)

L'évolution du regard que Dubois porte sur les Allemands est une parfaite illustration de l'effet de la propagande menée par l'État français pendant la guerre. Lecteur assidu de plusieurs journaux nationaux, Dubois analyse les événements militaires par ce seul support d'information, quand bien même il fût conscient de sa subjectivité.

« GRANDE DATE : L'ARMISTICE EST SIGNÉ ! » (11 NOVEMBRE 1918)

> *C'est la fin de la guerre ! Mon émotion est très grande ! Voici donc la France délivrée, et avec elle l'Europe ; on peut même dire le monde, car l'Allemagne ne tendait à rien de moins qu'à l'asservissement du monde entier ! Quelle fin pour ce Kaiser ! Il y a une justice immanente qui règle les destinées de l'univers ! L'humanité va enfin respirer ! Le cauchemar disparaît ! Mais bien des difficultés vont surgir, difficultés de toute sorte. On en sortira, je l'espère. Le peuple français se montrera aussi grand dans la paix que dans la guerre. Il le faut !*
>
> (11 novembre 1918.)

Avec la paix, la réouverture complète des théâtres et d'une grande partie des anciennes sociétés de concerts laisse présager un retour aux habitudes musicales d'autrefois, ce que Dubois souhaite ardemment. Et pourtant, quelle déception pour lui lorsque – l'armistice étant signée – l'apaisement des Français donne le signal de réjouissances sans fin :

> *Les concerts pleuvent ! Surtout des concerts de pianistes ! Quel flot ! Tout cela en somme assez peu intéressant. Aux concerts d'orchestre, peu de révélations ! Les mêmes noms, les mêmes petites coteries, les mêmes petites intrigues, les mêmes ostracismes qu'avant la guerre. Hélas ! c'est l'humanité qui roule éternellement son fardeau de tristesses, de petitesses et de misères !*
> (12 mars 1919.)

Ce désappointement aigrit peu à peu Dubois qui – et il l'ose l'avouer dans son *Journal* – réalise ne plus faire partie de ce monde artistique pour lequel il souhaite malgré tout encore composer. « On veut jouir, s'amuser, oublier peut-être ! » (17 décembre 1919.) Mais cet oubli ne sera pas cantonné à la seule période de la guerre : c'est une page de l'histoire sociale et artistique qui, se tournant dans un geste sans doute hâtif et caricatural, rejette dans les limbes quantité d'œuvres et d'artistes ayant fait la gloire de la France d'avant-guerre. N'oublions pas que Saint-Saëns ne mourra qu'en 1921, Fauré en 1924 (la même année que Dubois).

> *Les concerts pullulent et les mœurs des artistes ne s'améliorent pas. Ils sont toujours aussi malveillants les uns pour les autres. Ils forment des chapelles, des clans d'où les profanes (lisez ceux qui sont restés fidèles aux traditions classiques) sont rigoureusement bannis, quel que soit leur talent. C'est déplorable, mais c'est ainsi ! La guerre n'a rien changé, hélas !*
> (12 mai 1919.)

« LES ADEPTES DU MODERN-STYLE » (9 FÉVRIER 1921)

Si les premières pages du *Journal*, et en général la période allant jusqu'à 1918, donnent lieu à toute une série de condamnations de la modernité par un Théodore Dubois encore à pied d'œuvre, les années 1919-1923 trahissent le désespoir d'un homme dépassé par les événements (quoiqu'il compose encore et toujours) :

> L'art musical subit aujourd'hui une crise extraordinaire. On fait aller ensemble les notes les plus discordantes, le plus souvent sans plan, sans rythme, sans tonalité, au petit bonheur, sous prétexte de rajeunir l'art, de le délivrer des vieilles formules ! On arrive ainsi facilement à la cacophonie, au bruit désagréable et désordonné. Et la plupart de ceux qui tombent dans ces travers ne savent pas leur métier !
>
> (26 décembre 1920.)

Il prend alors conscience que les Ravel, les Stravinski sont devenus – en quelques années – des « classiques ». Ce ne sont plus seulement les paramètres harmoniques et phraséologiques de son art qui sont malmenés, mais ce sont les concepts même de « musique tonale » et de « rythme défini » qui sont presque radicalement balayés.

> La musique va toujours son petit train-train. Ceux qui étaient autrefois les plus avancés ont été dépassés par les adeptes du modern-style, de sorte que l'on se croirait à la tour de Babel. Le public, ahuri, se rejette avec véhémence sur Wagner. Wagner seul fait recette ! Pendant ce temps, les pauvres compositeurs français qui ont gardé quelque sang-froid sortent timidement des compositions longuement mûries qu'on leur joue avec parcimonie et qui sont écoutées avec appréhension par un public désemparé. Il y a bien aussi les ballets russes, suédois, etc. où les musiques sont parfois terribles, stupéfiantes, sans compter tous les petits concerts donnés par des étrangers de tous pays. Ah ! on en fait de la musique !... C'est une macédoine... une orgie... une débauche ! Heureusement je n'entends rien de tout cela, et je peux garder ainsi ma raison.
>
> (9 février 1921.)

Une chose est certaine, en tout cas, c'est qu'à partir de cette époque Dubois ne se fait plus aucune illusion sur le triste sort que lui réserve la postérité, puisqu'il se voit lui-même sombrer dans un oubli artistique irrémédiable...

« J'ASSISTE À MA MORT DE MON VIVANT !
CELA EST FORT MÉLANCOLIQUE ! »
(10 SEPTEMBRE 1922)

Les dernières pages du *Journal* sont comme l'agonie littéraire d'un homme accablé de douleurs physiques et morales.

> *Ma vie est toujours bien triste ! La solitude me pèse ! Tout a croulé autour de moi ! D'abord mon pauvre Rosnay que j'aimais tant et que je ne reverrai peut-être jamais ! Puis ma misère vésicale et herniaire qui rend mon existence si pénible et si douloureuse ! Et enfin, dernier coup, le plus cruel de tous, la perte de ma compagne si bonne, si affectueuse pour moi, qui fait de ma vie un désert ! Sans compter la perte de pas mal d'illusions, résultat fatal des événements qui ont fait de l'égoïsme le principal facteur de la vie actuelle ! Et il faut tout de même traîner le boulet !*
>
> (17 janvier 1923.)

S'il connaît auprès de sa famille quelques doux instants d'apaisement, c'est en revanche pour son œuvre qu'il s'inquiète car il n'a plus aucun moyen de la faire jouer et défendre.

> *Quant à moi, je sais qu'aux yeux de la jeunesse [...], je ne compte pas. C'est le dédain et la mort sans phrases ! Pourtant je me fais mon propre critique et passe en revue mes compositions les plus importantes. Eh ! bien, je ne crois pas (et je n'y mets aucune vanité) mériter un tel traitement. J'ai avalé bien des couleuvres ; j'en avale encore quelquefois, mais je vis avec l'espoir que plus tard on me rendra peut-être un peu plus justice ! Amen !*
>
> (6 septembre 1922.)

> *Aujourd'hui que je suis rentré dans l'ombre et que le règne des snobs et de la musique d'avant-garde est arrivé, il est rare de voir une de mes œuvres sur un programme. Je suis obligé de solliciter humblement les directeurs de concerts comme lorsque j'avais vingt-cinq ans ! Toute la gent musicale m'oublie peu à peu et j'assiste à ma mort de mon vivant ! Cela est fort mélancolique ! L'indifférence s'exerce d'autant plus facilement que mon état actuel ne me permet pas de faire comme autrefois certaines démarches et d'entretenir des relations utiles. D'autre part, les virtuoses, les chanteurs, les chefs d'orchestre sont très sollicités, très accaparés par une jeunesse turbulente, avide de succès, et*

exempte de préjugés ! De sorte que les pauvres vieux comme moi qui s'obstinent à vivre sont forcément délaissés. En ce qui me concerne particulièrement je crois que cela constitue une injustice, car, comme je l'ai fait remarquer dans ces notes au jour le jour, on a été autrefois assez dur pour moi, et l'on me devrait plutôt une réparation ! Heureusement que je suis philosophe !
(10 septembre 1922.)

Cette philosophie, c'est sous la forme d'un *mea culpa* que Dubois passera ses dernières semaines à l'appliquer. Il se reconnaît une trop grande fécondité, pas toujours aussi exigeante qu'elle aurait dû l'être. Il avoue aussi que ses origines modestes ne l'avaient pas préparé à traiter d'un art par essence élitiste :

Mais si j'eusse été plus instruit j'aurais certainement fait mieux. Du moins je le crois. Et puisque je suis en train de faire une sorte de confession, je dois et veux reconnaître que, étant doué d'une grande facilité de travail, j'ai trop produit. Il y a donc un choix à faire dans mes œuvres. Les artistes de goût le feront facilement et je puis dire sans vanité qu'ils y trouveront plusieurs ouvrages ou fragments trop souvent et injustement dédaignés ! La postérité me rendra-t-elle justice ?
(27 juin 1923.)

Et de conclure :

Je ne sais si je me trompe ; cependant j'ai comme une certitude que si plus tard, après moi, [mes œuvres] tombent sous les yeux de musiciens et de critiques non prévenus, un revirement se fera en ma faveur ! Je ne serai plus là pour en jouir, mais c'est égal, cela fait plaisir à penser ! [...] On doit trouver au milieu de tout ce que je laisserai assez de bonnes choses pour me rendre quelque justice !
(18 décembre 1922.)

Le *Journal* s'achève – hasard troublant – par l'évocation d'une reprise annoncée de la *Symphonie n° 2*. Dubois se remémore alors le succès remporté par l'œuvre lors de sa première exécution en Belgique, tandis que la création parisienne avait suscité un scandale douloureux pour l'auteur. C'est la narration de ce scandale qui ouvrait les premières pages du *Journal* en 1912...

À l'heure où paraît ce *Portrait,* une importante partie des œuvres de Dubois est enregistrée (ou en passe de l'être). Belle revanche... moins d'un siècle après la disparition de cet artiste sincère et attachant.

———

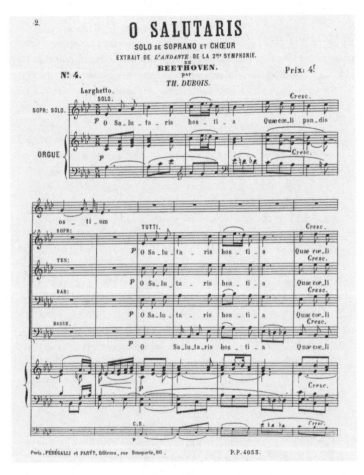

O Salutaris de Dubois, parodié du mouvement lent de la *Deuxième Symphonie* de Beethoven. (Éditions Parvy.)

O Salutaris by Dubois, parody of the slow movement of the Second Symphony of Beethoven. (Éditions Parvy.)

A tribute to Théodore Dubois

Charles-Marie Widor
translated by Richard Stephenson

(Speech delivered at the Académie des Beaux-Arts in 1924.)

Gentlemen,

He was the son of small farmers, from a family whose watchwords were hard work and rectitude. His grandfather was the village schoolmaster, his father a basket maker. A charming trade, that: poets and musicians have sung it. Dubois should have hailed it in his turn. Did he do so? Perhaps...

Rosnay, a pretty village in Champagne, standing in the Vesle valley, thirteen kilometres from Reims. Our colleague always kept up the house where he was born, which he enjoyed beautifying. Each year, in summer, he faithfully spent long periods there, and there he kept the small harmonium that his parents had purchased for little Théodore from their savings. The loss of the peaceful cottage in the shock of invasion during the Great War was one of his greatest sorrows.

Until the age of twelve, he attended his grandfather's village school. In his free time he enjoyed playing the flageolet. It was, without doubt, the first stirrings of his vocation. But what irresistibly decided him was a service he attended in Reims cathedral. The singing of the choir and the swelling organ overwhelmed his boyish soul (he was just seven). 'I wish to be an altar boy,' he told his parents. 'And why?' they asked. 'So that I may sing in church.' Unfortunately, the church did not approve for these functions a candidate whose vocal talents, little more than a croak, were found wanting. A characteristic of this tall, vigorous, well-built man was that his voice was always a little muted: he was not a born singer. In fact, this early misfortune only inflamed his love of music the more. So a master had to be found for him.

In Rosnay, there were no musicians. But in the neighbouring village of Gueux, the cooper, in addition to his barrels, was in charge of a bass fiddle and the parish organ. Little Théodore received nine lessons from this rural master. After the ninth lesson, the good cooper told his disciple that he could teach him nothing more. But was not listening to this good man hooping his barrels a further lesson? The rhythm of labour punctuated by the sound of his hammer was music that echoed so beautifully around the peaceful village! Barrels have music in their soul. George Sand, taken to a concert by her best friend – at this time this was Chopin – noticed above all, in that ordered storm in the *Pastoral Symphony*, a similarity between the rumbling of the thunder and the cavernous sound of the barrels which, as a child, she had heard being hooped in Nohant.

The schoolmaster, his grandfather, had a schoolmaster friend in Reims whose daughter, who played the piano, became the boy's second teacher. His real master was the third one. This was Louis Fanart, also from Reims. He was a wealthy dilettante, the owner of an extensive scholarly and musical library, an excellent musician well versed in harmony after studying with Lesueur, who taught Berlioz. Twice a week for three years, Théodore walked the thirteen kilometres there and back, from Rosnay to Reims and vice versa. To Louis Fanart he owed the principles of his technical education and knowledge of great music. But the more the scope of his instruction widened, the narrower seemed the horizon of Reims and the stronger his desire to go to Paris and enter the Conservatoire. But how does a poor peasant boy cross that sacrosanct threshold?

The mayor of Rosnay was the Vicomte Eugène de Breuil, a man of refined tastes and a friend of Parisian artists. He had observed the progress made by the young Dubois, who by this time was 17. He brought him to Paris and introduced him to Ravina, a fashionable pianist, and to Marmontel and Bazin, both of whom taught at the Conservatoire and accepted Théodore into their classes. Monsieur de Breuil provided him with lodgings in a house he owned in Paris, near the Rue Saint-Georges. Dubois lived at the very top of the building and took his meals in the lodge, with the often-drunk concierge and his ever evil-smelling wife. These, you will agree, were years of fairly harsh trials. But what of it? He was living in Paris, he was a student at the Conservatoire, his teachers had noticed him, and he had no self doubts, feeling that he was a true musician. He was happy. Never would he forget the debt of gratitude he owed to his protector.

At that time he was extremely thin, poorly dressed, and wore a comical yellow cap his comrades would rag him for. But the young man worked no less hard, with an energy that won him the first prize for Harmony in 1854, then the first prize for Fugue, then the first prize for Organ, and finally the position of assistant organist at the Chapel of Saint-Louis-des-Invalides. It was at this time that he came to know César Franck.

Franck, the *maître de chapelle* at Sainte-Clotilde, needed an assistant organist. Dubois applied. The master subjected him to a sort of exam, decided that he was fit for the position, and had him appointed. The perfect public servant, our future colleague nevertheless found time to work. A student of Ambroise Thomas for composition, he set his sights on the Prix de Rome. A more fortunate competitor – Guiraud – won the place. The following year, he went once more into the breach. While he was *en loge*, isolated from the rest of the world, he contracted scarlet fever, forcing him to retire from the lists. But being an honest young man liked by one's comrades has its uses, and Dubois now received touching proof of this. His comrades themselves, not wishing to turn his misfortune to their advantage, loyally agreed to petition the Minister that their rival, once cured, should be allowed back into the *loge* for the remaining twenty days of his seclusion. This time, our colleague took the prize (1861).

There are two categories of 'Romans', by which I mean our scholarship students. In the first category are the incurious, who live in Rome as they would in Paris, and being bored with Rome dream only of seeing the Boulevard and Montmartre once more. In the second category are those who are curious to see and learn, who become enamoured of the works of Roman Antiquity and the Italian Renaissance, and who enrich their beings with wonderful memories. In this second category was Théodore Dubois. His time in Rome was precious to him. He never lost his sense of awe, and often returned to the glorious banks of the Tiber thereafter.

At the Villa, his comrades were Paladilhe and Guiraud, musicians, Henner and Jules Lefebvre, painters, Falguière and Carpeaux, sculptors, and Moyaux and Coquart, architects. One day, he received a visit there from Liszt in person: 'Show me one or two of your works.'– 'Master,' the awe-struck young scholar replied, 'dare I show you these two pieces for the piano?' In his room was one of those old square pianos of the time. Liszt spread the manuscript on the music stand and played. Imagine the intense joy of the composer. The piano was less happy. Under the majestically firm hand, eight or ten strings gave up the ghost. Liszt returned to the Villa fairly often, once in particular to congratulate Dubois on a Mass* he had recently composed, which the master had heard. One morning, while still in Rome, Dubois received a letter from Franck, his former patron. Franck informed him that a great organ had just been built at Sainte-Clotilde, that he, Franck, was to become the *titulaire*, and hence the position of *maître de chapelle* was vacant, which he would be happy to keep for his former assistant. Dubois accepted at once and returned in all haste. And one may say that his acceptance of this position largely determined his artistic career, and that it turned our colleague into more of a church musician and composer of sacred works. I would also add that his initial, highly religious, education and his personal faith, predisposed him towards this type of music.

In 1868, Dubois moved from Sainte-Clotilde to the church of La Madeleine, again as *maître de chapelle*. Saint-Saëns was the organist there. Right from these beginnings, relations between the two men were what they would remain until the end: very trusting, very affectionate. Dubois already had a great admiration for his future colleague, and for his Sunday improvisations in particular. We should observe here (and we will return to this in greater detail) that at this time he was not only in charge of the church choir, but already a famous composer in his own right, the author, among many others, of a choral and orchestral work, *Les Sept Paroles du Christ*, which enjoyed considerable success, and was performed successively at Sainte-Clotilde, La

---

* The *Messe* recorded on this present disc (ED.)

Madeleine, and the Pasdeloup concerts. The work enjoyed no lesser fortunes outside France, as testified by performances in the United States and Canada, where it generally forms part of the spiritual concerts in Holy Week.

In 1871, Ambroise Thomas, the Director of the Conservatoire, had his former pupil appointed Professor of Harmony, and subsequently, Professor of Composition following the death of Léo Delibes, *titulaire* of that class. In 1877, Saint-Saëns resigned as organist, and Dubois, leaving aside his duties as *maître de chapelle*, ascended to the great organ. It was a difficult succession, which he courageously accepted. The new organist proved himself not unworthy of his illustrious predecessor and was able to retain the same close circle of faithful followers. This was from 1877 to 1896, at which time he composed his many works for organ. In 1896, Ambroise Thomas died, and our colleague, who was then called on to succeed him, in turn resigned as organist. The humble peasant boy from Rosnay, now Director of the Conservatoire. The former humble schoolboy occupying the chair of Cherubini: the stuff of dreams!

A very old institution, our Conservatoire. It was founded by a decree issued by Louis XVI in 1784. At that time it was called the *École de Musique***. It was lodged on the Place des Menus-Plaisirs. A few years later, it changed its name to *École Gratuite de la Garde Nationale Parisienne*. This was the institution which furnished the vocalists and instrumentalists for Revolutionary festivities. After being renamed the *Institut National de Musique* in 1793, two years later it received the constitution which, with only minor changes, governs it to this day. The administrative constitutions they wrote in those days were solid. There were a few differences, however, one of which was that instead of a Director, an administrator flanked by six inspectors ruled over the destinies of the early Conservatoire. The administrator was one Sarrette, a simple dilettante, but a Captain in the army general staff. The inspectors were citizens Méhul, Gossec, Lesueur, Cherubini,

---

** Sic: Actually the *École royale de chant* (ED.)

Martini, and Monsigny, and were clearly better qualified. The first Director was Cherubini.

We have all known those buildings in the Rue Bergère, gloomily ugly and devoid of all comfort. Orchestral and choral exercises, examinations, and competitions, were barely accommodated in a hall seating around 100 people. At mid-height was a narrow circular gallery. At the back of this was a small box where Napoleon, the First Consul, attended the first prize-giving in 1800. A few days earlier, at the Battle of Marengo, a bandsman in the consular guard had seen the bassoon he was holding destroyed by shrapnel. Bonaparte gave an honorary bassoon to the soldier musician, winner of the first prize. Facing that box, on the stage, was an organ. This was the instrument Franck used in his teaching (and mine too, as I succeeded him when he died, in 1896) after he became the Conservatoire's Professor of Organ through the grateful intervention of Théodore Dubois.

That now destroyed auditorium (the Conservatoire moved from the Faubourg Poissonnière to Rue de Madrid in 1911) was witness to the whole of French music: Berlioz, Gounod, Saint-Saëns, Bizet, Massenet. In a word, all our masters, from Boieldieu to Debussy. But its size was no longer equal to the growing numbers of pupils. The present hall we owe to Cherubini, who designed it himself; and it is no less illustrious than its predecessor since it has become that of the Société des Concerts, with many masterpieces seeing their first performances here. It was here that Richard Wagner, and I quote his own testimony, received the true revelation of the *Ninth Symphony* [Beethoven's]. So much for the premises of the Conservatoire. What they long lacked, until around 1860, was a soul, a unified teaching rooted in the unity of a doctrine of harmony. It was through the treatise written by Reber, but annotated, revised, and virtually transformed by Théodore Dubois, that it at last received this indispensible doctrine...

The honour of codifying the principles of our art fell to Théodore Dubois. His teaching enabled him to supplement his first work with a second, the *Traité de Contrepoint et de Fugue*, which was the fruit of his personal observations as professor of composition when he succeeded Delibes. A great educator, a man of rules and discipline, he nevertheless had a gentle fear of wounding his pupils by too-direct criticism. One pupil brought to class the latest product of his pen: 'It is very good, *Monsieur*, very good. But perhaps you do not know the piece by Massenet that I will now play for you?...' By the fourth bar, the pupil, who saw the resemblance, took up the manuscript and tore it in pieces: 'Oh, *Monsieur*,' dolefully exclaimed the good master, 'I do beg your pardon!'

Although he was a traditionalist, his class, which saw almost all of today's musicians pass through, included (like mine, in fact) a few revolutionaries. Certainly one of his pupils must have spoken of his teaching, just as one of mine spoke of mine. This clever, talented pupil of mine, who was rather fearsomely harum-scarum, but harmless, once found himself at a reception where a beautiful lady asked him: 'And what does Widor, your master, say of your extravagances?' – 'Widor,' replied the youth, 'pulled a sour face at first, but we trained him.' A droll way, I am sure, of paying tribute to my old friend Dubois and myself, and of observing that the first duty of a professor is to respect the temperament of his pupils, however given to excess.

This doctrinal unity we admire in the works of the theoretician can be found throughout the works of the composer. It is his personal hallmark, regardless of the genres he is working in: symphony, oratorio, theatre, secular music, or religious music. He has left us three symphonies, one of which, his masterfully constructed *Symphonie française*, seems to evoke every aspect of France, from the majesty of Reims cathedral and the great figure of our Joan of Arc, to the battalions of revolutionary *sans-culottes*, marching to battle singing the *Marseillaise*. Among his concert overtures, the most popular, colourful, and lively was inspired by the Scandinavian legend of *Frithiof*.

It was to the first of his oratorios, *Les Sept Paroles du Christ*, that he owes, as we have said, his burgeoning fame; and that fame grew and was strengthened by the success of *Paradis perdu*, which won the Prix de la Ville de Paris in 1878; several operas (*L'Enlèvement de Proserpine*, *Les Vivants et les Morts*, *Le Baptême de Clovis*, and *Notre-Dame de la Mer*); concertos for piano, for violin; quintets, a quartet, a trio; sonatas for a variety of instruments; unaccompanied choral pieces; volumes of songs; and a large quantity of piano pieces, including his charming *Poèmes virgiliens*.

For the theatre, he composed two one-act operas, *La Guzla de l'Émir* (1873) and *Le Pain bis* (1879), along with *La Farandole*, a ballet in three acts, successfully performed at the Paris Opera (1883); *Aben Hamet*, a four-act drama performed at the Théâtre Italien (1884); and *Xavière*, an opera in three acts performed at the Opéra Comique (1895), based on a poem by Ferdinand Fabre.

His true musical glory, and a lasting glory at that, is his religious music. Bach, the illustrious *cantor* of Leipzig, wrote a cantata for every Sunday. If you were to leaf through a catalogue of masses and motets by Théodore Dubois, you would certainly find enough to supply the ordinary for every Sunday for two years and more. And if we had to qualify the principal traits of this vast oeuvre, we would say that it stands out for the art of writing for voices and by the integrity of the resources used, deriving from a sincerely Christian soul, creating a naturally perfect accord between the music and, if I may be so bold, the very stones of the religious edifice where this music sings. Dubois always respects the pure tradition of sacred music, which should not reach for effect, and should be more than the yearning of one soul. I cannot hear his *Tu es Petrus* for three voices without being moved; the voices are so perfectly interwoven that they sound like an extensive polyphony and an immense kneeling in prayer.

Unity and harmony are the two words which always spring to mind when talking of Théodore Dubois. His life resembled his work: in the family a model of union; in his class, where his attentive awareness neglected not even the smallest of his duties; in his work as Director, a true vocation; and in this very place (in 1894 he was elected to the Académie des Beaux-Arts, taking the seat vacated by the death of Gounod), where his discretion was a useful strength: as a sworn enemy of empty chatter, he only ever spoke (such uncommon wisdom!) on subjects in which he was particularly well-versed and where only he could offer the testimony of a special competency. Remember the day when, near death, he came to read a very short, very dense paper. He was quite rightly expressing his surprise at an illogical difference in the competitive examinations, between pupils at the Beaux-Arts and the musicians, where the former group were entitled to choose between two subjects, whilst the latter had only one subject and no choice.

Our colleague enjoyed a long retirement without ever losing interest in anything concerning our art, and in particular his beloved Conservatoire, whose library was one of his chief concerns. He would have wished, and we often spoke of this together, that all our musical treasures, currently dispersed at the Mazarine, Sainte-Geneviève, Arsenal, and Nationale libraries and in the archives of the Opéra, should be brought together either at the Conservatoire or at some other specially assigned building. But would that not be imprudent? Would it be wise to collect together so many masterpieces in a single place? Is it not truly sad to be certain that, logically, there is no building that might not one day be destroyed by fire or war? Every morning, from my window, I contemplate the ordered magnificence of the Louvre, and every day, I tremble for it. We finally agreed that it would be preferable to leave the manuscripts of *Don Juan*, the *Appassionata*, and the autograph scores of Berlioz, Chopin, and all our masters here at the Conservatoire; at the Mazarine library, the incomparable folio collection dedicated to Leo X, published at Rome in 1516, containing 15 masses, all by French composers from before Palestrina (who owes more than is generally thought to them); at Sainte-Geneviève, the first editions of Goudimel and Costeley; at the Arsenal the manuscripts of our old *trouvères*; and at the Bibliothèque Nationale an inexhaustible corpus, still largely unexplored, which Henri Expert, under the auspices of our own Académie, is now cataloguing. Finally at the Opéra, perilously housed in the attics, are the archives of France's lyric theatre since 1712. What a loss it would be if some idiotic accident were to deprive the history of our art of these sources! Dubois and I were of the opinion that, if we were to leave these documents in their dispersed state, which would perhaps save them from total loss, it would nevertheless be desirable to gather methodically catalogued photographic reproductions of them in one place, where researchers could come to consult them. In this way, we would enjoy the benefits of concentration with none of the dangers. An institution of this type always has the necessary complement of a Society whose financial subscriptions, initiatives, and activities would support it. To give it a name, it could be called the *Société des Bibliophiles de la Musique Française.*

Théodore Dubois died in the generous conviction that, one day, our project, with support both from the public purse and private munificence, would see the prompt execution that he desired for our art and for France. Let us never forget our responsibility to the treasures our predecessors have left us.

———

La Société du Double Quintette for which Dubois composed his *Nonetto* and *Dixtuor*. (*Musica*, May 1906.)

La Société du double quintette pour qui Dubois composa son *Nonetto* et son *Dixtuor*. (*Musica*, mai 1906.)

Édouard Colonne, conducting. (*Musica*, June 1905.)

Édouard Colonne dirigeant. (*Musica*, juin 1905.)

A MAN OF HIS TIME

Alexandre Dratwicki
translated by Mark Wiggins

When, in August 1912, Théodore Dubois completed his *Souvenirs de
ma vie* (although intended for publication, this work did not appear
until 2008), he concluded: 'From today, in order that my memory should
let me down no further – I am somewhat fearful of this, even if this
has not happened on many occasions for the foregoing – I shall be
now writing down my notes from one day to the next. Rather than
consisting of recollections this will be more of a diary.' Matching his
words with suitable action, he wrote, from August 24, 1912 and until
December 21, 1923 – shortly before his death – such a diary or journal
to which he regularly confided the most important occurrences in his
daily life. The process of rediscovery of this composer and of his
music commenced in 2010, following a stirring read of these pages,
which had been preserved by Dubois' family. And also following the
many and pleasant surprises that it held in store...

Dubois was the archetypal 'official artist'. An 'Academician', one
might say today. A gifted student (who had been born in 1837), he had
a successful musical training at the Paris Conservatoire, receiving many
accolades there, notably in piano and composition, including a *premier grand prix de Rome* (1861). On returning to France, he immediate-
ly embarked on the natural course of a regular and patient professional
ascent. Professor of harmony at the Conservatoire from 1871, he became
professor of composition there ten years later. He was named its direct-
or from 1896 until his retirement in 1905. Alongside these professional activities, he held different musical posts in churches, notably at
the Madeleine as its organist (1877-1896). Honoured by the official cir-
cles, elected a member of the Institut de France in 1894, Dubois would

suffer after his death from this privileged position. Whilst remaining completely faithful to his ideas of clarity and of respect for tradition, he was sensitive to the advanced ideas of his time, as exemplified by his early membership of the Société Nationale de Musique. His vast and varied output, which embraces all genres, is eclectic in its inspiration, aligning itself just as much with Franck and Schumann as with Brahms and Saint-Saëns. Amongst the works which would permit a suitable idea of his style being given, the majority had unfortunately become forgotten – even untraceable – until recently. An international festival dedicated to the composer in 2012, some 15 record releases containing his music which have been released since then, and this present *Portrait*, are currently encouraging a reappraisal and revision of those stubborn prejudices from which Dubois still suffers. And likewise for the whole official *fin-de-siècle* School swept aside as a mere memory by the innovating symbolism of a Debussy or a Ravel.

In reality, the range of Dubois' works exemplifying his inventiveness and bearing witness to a real evolution in his writing is indeed a large one. For the present book-CD, we have selected works from across the composer's output (from his *Messe pontificale* begun in 1862 in Rome and initially performed under the title of *Messe solennelle*, up to the symphonies from the 1910s). We have also drawn on a very rich body of works, from the *Piano Sonata* through to orchestral pieces, from the *Piano Quartet* through to the motets written for the Madeleine.

Despite the eclecticism inherent in his career and in his oeuvre, the image that posterity has chosen to retain of Dubois is that of an artist who was zealous in defending the rules, competent only in illustrating them and formulating theories about them through treatises, one of which became a landmark publication and which still invokes memories of schooldays for some. The enduring image that inevitably clings to authors of theoretical treatises is one of the reasons for the disregard in which Dubois has been held since his death, especially given that he was so prolific in that activity. Another explanation for this disregard clearly lies in the widespread awareness of what constitute the most impersonal sections of the composer's output: his organ works and religious music. Published starting from the 1860s, these occasional pieces (principally motets with soloists), which – although agreeable in themselves – were necessarily limited in their ambitions; they found their way all across France and established the composer's reputation as that of a man of religious worship much more so than that of the theatre or the concert hall. Indeed, many people today continue to recognise in Dubois only this compositional facet.

For this current book-CD, we have made a selection of six motets representing the different aspects of this genre, drawn from more than a hundred written by the composer, and composed throughout the greater part of his life. Thus, we have an *Ave verum* for solo voice and organ, a *Panis angelicus* for soloists, choir and several instruments (which places special emphasis on the configuration of violin, cello, harp, organ and double bass), and three motets for choir and organ with double bass (an *O Salutaris* and two *Ave Marias*; some of these can be sung *a cappella*). Lastly, there is a startling *O Salutaris* for mezzo-soprano, chorus and organ, which proves to be a parody of the slow movement from the Second Symphony of Beethoven – this long-standing technique which was aimed as a homage to past masters rather than as an ironic wink. On another occasion, Dubois makes use of the aria 'O Isis und Osiris' from Mozart's *Die Zauberflöte* in a composition scored for male voices and organ. Some of these six motets characterize the then current neo-Palestrinian fashion, which imitated the austerity and the modal harmony of the Renaissance, whilst others illustrate the operatic style then-fashionable in the church (notably the *Ave verum* for solo voice and organ).

Continuing to make the selection here from the domain of sacred music – but with a work significantly more ambitious in its scope – the *Messe pontificale* was published in 1895. We know today that its origin was considerably earlier since it was a partial revision of the *Messe solennelle* written by the composer in the 1860s during his stay at the Villa Medici. The rules of the Académie de France in Rome required the first-year musician-*pensionnaires* to send an *envoi* to the Académie des Beaux-Arts, consisting of a worked-out piece of religious music, the choice being from a mass, a *Requiem*, a *Te Deum* or an oratorio. The report given by the members of the Institut de France, in 1863, unreservedly praise the young composer's labours:

For his first-year work M. Dubois has sent to the Académie a Messe solen-
nelle scored for large orchestra. In this work, skilfully handled by a know-
ledgeable and serious musician, we have noted a Kyrie, which is tasteful and
pure in style; in the Gloria, there is a Qui tollis scored for solo tenor and choir,
imbued with an attractive religious sentiment; we will highlight also that in
the next section, there is a perfectly written fughetta for the voices. The Credo
appears to us to be the principal section of the work; the Et incarnatus est
and the Crucifixus are compositions embracing a noble and elevated senti-
ment. We wholeheartedly commend him for the development sections, the
unity of style and the majestic character of this Credo. In addition, we will
mention the Sanctus, the O Salutaris and an Agnus Dei whose melodic
sentiment and expression are perfectly adapted to the subject's character [...]
The labours of this pensionnaire demonstrate strong and serious studies and
lead one to augur more than favourably for his future.

This mass was published in Paris by the firm of Heugel, which brought
out the greater part of Dubois' output. The first Parisian performance
took place in the church of Saint-Eustache on Saint Cecilia's Day in
November 1895 (although Dubois refers to 1896 in the *Souvenirs de ma
vie*). The composer relates:

Back then, the Association des Artistes Musiciens used to celebrate Saint
Cecilia's Day with the performance of a High Mass with orchestra in the church
of Saint-Eustache. I recalled a Messe pontificale composed in Rome in 1862,
as an envoi, and which I had only heard performed on a single occasion, in
the Madeleine in 1870, and then under poor conditions. I had the desire of
hearing it again. I made a proposal to the committee, and it was accepted.
However, I did not want it to be put on again without first freshening it up a
bit. I set about entirely reworking and re-orchestrating it; the work was very
well performed under the baton of Lamoureux.

On the title page of the piano reduction score there is an indication
which refers to an arrangement of the work for string quintet, harp and
two organs (one of which acts for the work's wind parts). Unfortunately,
neither the large revised orchestration, nor the transcription for small
ensemble, are currently available for hire. The Heugel archives, purchased by Leduc and more recently by Music Sales, are silent on this
mass. Hence, the present recording makes use of a modern transcrip-

tion, one carried out by Alexandre and Benoît Dratwicki based on Dubois' piano reduction, and following the spirit of nineteenth-century adaptations. In addition to a choir and four soloists (soprano, mezzo-soprano, tenor and baritone), the arrangement calls for flute, clarinet, bassoon, horn, harp, two violins, two violas, two cellos, double bass and organ. By a happy stroke of luck, soon after the present recording was made – and in the spirit of healthy rivalry brought on by the 2012 Dubois festival – the Bibliothèque Nationale de France began cataloguing in 2014 a large collection of words by Dubois which had been declared lost, but which recently had been rediscovered. Among them appears – in addition to *Le Paradis perdu* and the opera *Aben-Hamet* – the manuscript for the *Messe pontificale* in its 'large' version. So, only the final and magisterial revision remains to be recorded.

The *Messe pontificale* conforms to the traditional structure of the mass. The *Kyrie*, Schubertian in its inspiration, highlights the tenor solo for the contrasting part of the *Christe eleison*. The concise choral texture develops in a tranquil manner – not without indulging, however, in some elegant modulations. The opening of the *Gloria* is very Verdian in its appearance, providing the baritone solo with a heroic and vigorous subject. The rest of the movement makes full use of the different characteristics implicit in the written text, the *Propter magnam* keeping alive the spirit of the classical Viennese masses, introduced by a *Gratias* in the form of an appropriately angelic chorus of seraphim (the female choral parts divided into four). The sumptuous *Qui sedes*, entrusted to the soprano solo, above balancing arpeggios from the harp, calls upon all the elements found in operatic sensuality, although the repeat of the heroic *Qui tollis*, from the tenor soloist, curtails any sentimentalism. A strongly-marked *Quoniam* concludes the *Gloria* in exemplary fashion. The alluring opening of the expansive *Credo* is also entrusted to the baritone. For the following *Et incarnatus est*, above a string of triplets, the soprano presents all the *cantabile* attractiveness found in Italian opera, allied with a tonal wholeheartedness of tone. The choral restatement here undoubtedly provides one of the most poignant moments in this mass. The very short *Sanctus* is almost enchained to an imaginative *O Salutaris* scored for four soloists (the final reply from the choir being optional according to an indication supplied by Dubois). Composed in the neo-Palestrinian style, this *O Salutaris* brings the mass towards a close in a mood of reflection,

far from the academic style with which this composer is so often asso-
ciated. The final section, the *Agnus Dei*, involving soprano, tenor and
choir, participates in this 'cleansing' of the notion of monumentality
in favour of introspection. The touching *mélodie accompagnée* along with
poetic commentaries from the clarinet are presented first separately,
then in dialogue between the two soloists. A luminous choral passage
leads to a long ethereal coda which seems to imply that divine pardon
is within reach.

Compared to his religious music, Dubois' chamber music is impres-
sive less for its quantity than for its variety. The composer distinguished
himself in more or less all the 'classical' combinations of his time (string
quartet, piano trio, piano quartet and quintet, violin, cello, piano
sonatas, etc) and even introduced innovations which involved some
of the more 'modern' instruments of the time (*Fantasietta* for flute,
viola and harp; *Dixtuor* for string and wind quintets, etc). As a suitable representative from this area of Dubois' output, we have chosen
for the present *Portrait* the Piano Quartet (written for violin, viola,
cello and piano), published in 1907. Dubois composed it when still in
full command of his musical faculties, at the time of his leaving the
Conservatoire and going into retirement (1905). Around then, the
composer became especially interested in the cyclic form of which his
teacher, César Franck, was such a stout defender. The finale of the Piano
Quartet accordingly presents a finely-stitched thematic recapitulation, clearly defined on the score itself by Dubois, with directions for
the players concerning the source and transformational type applied
to each of the melodies. Wholly Romantic in the sweep of its size and
intensity, the first movement is marked by its initial exalted and pas-
sionate subject. However, it is above all the developments carried out
to this (and several other) motifs which demonstrate the perfect mas-
tery of harmony possessed by Dubois – who incidentally had been a
professor in this subject and not just in composition or counterpoint.
Whilst as a more than competent organist he had mastered the techniques of fugal writing, he was always more open to the ever-changing
colours of harmony than to the dryness of contrapuntal work. The
slow movement from this Quartet is one of the summits of Dubois'

chamber output, alongside the exquisite *Adagio* from his Piano Quintet. The wistful tonal colours provided by the viola are perfect there and, once again, the sinuous harmonies of the thematic progression embody a shimmering and bristling poetry. Spiritual, almost Haydnesque in its simplicity, the *Scherzo* acts as a pointed bow of respect to the classicism from another time. It recalls analogous movements in the *Suite concertante*, the piano trios and the string quartets and appears – for those who know Dubois well – rather as one of his distinctive signature features. Present at the work's première in 1907, the critic Amédée Boutarel wrote in *Le Ménestrel* of March 30:

> *At the final concert given at the Rue de Clichy music society, a quartet by M. Théodore Dubois, scored for piano, violin, viola and cello, has received the warmest of welcomes. Attractive singing phrases appear over a tessitura composed of ever-melodious subjects, an irreproachably clear form, shorn of any quirkiness or vulgarity, various motifs presenting a well-judged character in order to create a piece from which monotony is absent, always fresh and attractive; these are the dominating qualities which to me seem to justify the repeated applause of the audience.*

If Dubois was undoubtedly a more accomplished organist than he was a pianist (he himself admitted to having taken up the instrument too late to become a real virtuoso), he was able to rely throughout his career on the advice proffered to him by his wife, Jeanne Duvinage, a concert pianist popular with Parisian audiences. Indeed, Duvinage was the first performer of a number of her husband's works, including the *Concerto-capriccioso* dating from the 1870s. The Piano Sonata, published in 1908, clearly benefits from judicious technical remarks. Its writing is wide-ranging and resourceful, with a sound texture – at times Schumannesque, elsewhere otherworldly – and which from time to time is crossed by epic flashes. Some of the technical features, in particular, call for much more than an amateurism executed in good taste. The first movement, in the key of A minor, exhibits a varied range of thematic material, in which the second subject is harmonised wittily and with poetic charm. The slow movement consists of an enormous nocturne, in tripartite form, with the repeat of the initial elegiac song paving the way for a calm and sustained variation section. The finale begins with a suspended cadence appearing to be restraining all its energy, which is then unleashed in one single burst. A very fine Wagnerian motif demonstrates that the Bayreuth master was not always denigrated by Dubois. In this Sonata, *Le Ménestrel* identified

> *one of the strongest and most personal scores to have been written by the composer of* Xavière. *I am highlighting this exquisite work for those who think that M. Th. Dubois is not part of the 'movement'... firstly, the opening section, with its two very distinctive subjects, the first spirited, the second poetic, enveloped in delightful harmonies; the whole submitted to all kinds of treatments and developed with an astonishing skill; then there is a fine* Andante *of a completely Beethovenian inspiration, which M. Risler executed with an admirable feeling; lastly, the finale, which is highly rhythmical, intense and yearning, all of which caused the salon to burst out in enthusiastic applause. I repeat with as much frankness as with pleasure: a most attractive work magnificently performed.*
>
> (*Le Ménestrel*, May 23, 1908.)

It appears that from that point on, Édouard Risler, the work's first performer, repeatedly performed the Sonata, in all sorts of performing situations. In his *Journal*, dated March 11, 1913, Dubois refers to this aspect:

> *A marvellous performance of my Piano Sonata from Risler, at the Salon des Musiciens Français. Risler is a superb musician and he has understood my thinking with a force, a charm, and with an absolutely remarkable sense of colour. He was accorded a huge – and well-merited – success by the audience.*

The 19th century symphonic tradition, abounding in repeatedly-performed masterworks of Beethoven, served as a heavy burden for composers of the second Romantic period to carry. Dubois was one of these, and he only set about this demanding genre late in his career, in the same way that he came late to the string quartet. Nonetheless, when he began the composition of his *Symphonie française* in 1908, he had behind him a solid orchestral experience already essayed in various concert overtures (the highly successful *Ouverture de Frithiof*, for example) as well as original operatic scores (*Aben-Hamet, Xavière*) or oratorios (*Le Paradis perdu*). In his *Souvenirs*, Dubois becomes very voluble when referring to the initial and subsequent performances of the *Symphonie française*:

> *In 1908, I came to the end of the* Symphonie française *which I had been working on. This symphony was performed in Brussels in November 1909, under the superlative direction of the great Ysaÿe. It was my choice that the work should be first performed abroad, dreading – with reason – the damage too often meted out by the audiences of the Concerts Colonne and Lamoureux to those composers who were not scared of facing up to them. My hunch proved to be correct. Not only was my work a great success in Brussels, but it subsequently gained the same reaction in Paris, The Hague, in many cities in Germany, in Nancy, in Boston. This very year (1912), when I have myself conducted at the Concerts Colonne – Gabriel Pierné being indisposed – it was a triumph! Just imagine it; the return of the foreigner! Have I not previously said that the public appeared to be handing out better reactions and feelings towards me? The same thinking applied with the press, so often harsh and malicious in days gone by, plainly unfair. Perhaps I am gathering in a little of the fruit of my own perseverance and of my artistic sincerity!*

The *Symphonie française* opens in the same unsettled mood as that of the *Symphony in D minor* by César Franck (Dubois' teacher). Such a comparison is not unintentional: like his teacher, Dubois resumes the thematic material in a different key with the initial exposition scarcely concluded. The turbulent *Allegro* is based on several motifs, the first undulating and with steadily widening intervals, the second, calmer and entrusted to the solo clarinet. In general, the discourse is shared out in a very fragmented way among different orchestral desks, only being interrupted by a number of brass calls. The slow movement is astonishing in its simplicity. Constructed as a set of variations on a popular French tune, first played alone by the oboe, before being slowly expanded, it gradually calls into play an instrumentarium of unusual abundance, including a celesta, which he deploys with great skill and care. With the triumphant rhythmical beating of the brass, the finale covertly conjures up *La Marseillaise*, yet without the composer overdoing this in a trite or vulgar manner. In his *Journal*, Dubois talks about performances of the work in Paris, Monte Carlo, New York, each occasion, it seemed to him, being a great success. The final references to this work are dated to January 31, 1919 ('My *Symphonie française* had lots of success at the Concerts Pasdeloup. Very well conducted and very well played, the effect it created was truly spectacular and welcoming! I'm pleased about that.') and to January 17, 1922 ('I had forgotten to mention that my *Symphonie française* had been performed in December at the Société des Concerts du Conservatoire. Admirable performance! A very warm reception indeed!'). The very title of the work brought him benefit during the course of the First World War, with some concert programmers making use of it for simple but effective patriotic purposes.

Completed in 1912, the Symphony No. 2 experienced a much more complicated life compared to its predecessor, and this despite neither its language nor its orchestration being radically different from the earlier work. Dubois relates:

First performance of the Symphony. The first movement is applauded strongly, quite possibly too much at the whim of some crazy individuals in the higher galleries, for then they began to cause a commotion – continuing until the end – whistling, singing, jeering even during the performance, *in such a way as* to prevent it being heard, *and causing an obstruction. It was disgraceful! This crew of barbarians wants nothing beyond what comes out of its trendy 'boutique', that is the Schola Cantorum. People all over the place tell me this. My name appearing on a poster is enough to get their goat! An old man who is still composing! What a nerve! At any rate, I spent a grim afternoon, all the more so in that I knew my poor wife was in the hall! She acted very bravely, and tolerated the row remarkably well! In the first outbursts, I identified – from where I was sitting in the wings – the word 'Institut', from which I deduced that they were wanting to reproach Pierné for playing the music of a member of the Institut, holding me up in their court in this way in view of the forthcoming elections! Did Pierné appreciate this ruse? I might cheerfully believe it, for his attitude to it was rather half-hearted. He wasn't in possession of the required energy to bear up in the storm. If he had called a halt to the performance, turning towards the troublemakers (which is what Colonne and Lamoureux would have done in their day) and said: 'Messieurs, I will continue when you permit the audience to listen', matters would have turned out differently. But no, he came over as embarrassed and placed, I have no idea why, an interminable gap between each part of the work!*

(*Journal*, November 10, 1912.)

The next day, he added:

The press hasn't been too bad. I must say that all the critics energetically criticized that group of ruffians who were practising artistic sabotage so effectively and so shamefully! I have since learnt that what served as the pretext for these vandals was a similarity [with my work] to the first three notes of Massenet's Vision fugitive [*from* Hérodiade]. *It is not untrue that there was a little involuntary 'recollection' there, but let the composer to whom this has never happened cast the first stone at me. More famous composers than me have had these 'recollections': was César Franck ever reproached for the complete similarity between the opening subject of his wonderful symphony with one of the subjects from* Die Walküre? *Was Ambroise Thomas reproached for having borrowed, note by note, the entirety of the opening stanzas of his* Le Songe d'une nuit d'été *from a well-known lied of Schubert? And Richard Strauss, whose majority of motifs from his* Elektra *seem to be copied, despite light adjustments, from those of an Italian opera, moreover unknown:* Cassandra, *by Gnecchi? Who has never thought of turning it into a crime against one's teachers? But with me, it is different, 'I am that scabby, scurvy object, that pariah!'*

(*Journal*, November 11, 1912.)

Conscious of the fact that this unwitting borrowing might be highlighted by reviewers, Dubois hastened in his desire to wish its disappearance. Notwithstanding this, it appears that Heugel may have refused to reprint the score – and the orchestral parts – with corrections applied. A copy which has been meticulously struck through with corrections remains today the version which is made available for hire, bearing the traces of that repentance and permitting, if need be, the playing of the symphony in its first version. Out of respect for the alterations desired by Dubois, the present recording has nonetheless taken into account all the cuts indicated, including within a different movement than the one which makes use of the Massenet motif. A propos this, Dubois noted in his *Journal* that he was making 'light changes so as to make the offending recollection disappear' and that he 'lightened a little the *Adagio*' (November 25, 1912). Not unreminiscent of *St John's Night on Bald mountain* by Mussorgsky, the first movement of Dubois' symphony efficiently manages a highly dissonant motif, which whirls chromatically around a pivot note. It is only the first subject sound 'halo', strictly speaking, which emerges from the depths of the orchestra. Both the bass clarinet and the double bassoon are regularly called upon here and this special sonority must be noted as one of the score's original features. The basis of this initial movement is provided not by two but four principal ideas, something which considerably enriches the variety of the development sections. Orchestral effects – and their results – also abound in the slow movement. Chromatic string textures summon up afresh the memory of César Franck, while the meticulously-crafted details of the second motif are conducive to a final superimposition of the two melodic ideas. The *Scherzo* offers an attractive recollection of Mendelssohn, and of the Italian sun – whose charms Dubois had so often extolled – which shines out here as much in the woodwind staccatos as in the expressive melody from the cellos. It is rather like hearing an unpublished movement from the 'Italian' Symphony by the German composer. There is an impulsive moment of humour with the final scale on the flute, which in no time at all brings this indefinable dance movement to a close. The finale, with the intensity of a Schumann, sets forth in a dignified manner, radiantly flowing through the most contrasting of landscapes. The brass here has a more active presence, recalling the flamboyant sonorities of the finale of the *Symphonie française*. The cyclic nature of the work is limited to a brief thematic recapitulation, but one where the slow movement repeat interrupts the flow of the piece in a surprising but efficacious way. The sombrely-hued first movement subject had reappeared before it, then followed by the violas' lyrical motif, this time played with boldness by the trumpet. What is revealed to the ear is virtually Chausson. The movement comes to an end in a 'con brio' manner; one more time the image of a stuffy and reserved Dubois is called into question. After a performance in Brussels, in 1913, the composer wrote:

> L'Indépendance Belge *has been considering my evolution! I am a Franckian, a d'Indyste, and 'I reach out' to young composers! From being a reactionary,*

*here I am now very popular! It is amusing. In Paris, I have been whistled at
as if I was banal and out of touch. Here, I am acclaimed as a progressive. I
am just independent and have no desire to belong to any clique or clan.*
(*Journal*, November 23, 1913.)

———

Édouard Risler, first performer of the Piano Sonata by Dubois.
(*Musica*, February 1906.)

Édouard Risler, créateur de la *Sonate pour piano* de Dubois.
(*Musica*, février 1906.)

SOUVENIRS DE MA VIE

Théodore Dubois
translated by *Mark Wiggins*

Théodore Dubois commenced writing his Souvenirs de ma vie *in 1909; they were submitted for publication but this did not occur at this point, owing particularly to the upheaval consequent upon the 1914 war. Here are given a number of individual passages which appear in their chronological order of writing; those interested in reading more are recommended to seek out the complete text, in the original French, as prepared by Symétrie and the Palazzetto Bru Zane in 2008.*

ENTRY TO THE REHEARSALS OF THE SOCIÉTÉ DES CONCERTS DU CONSERVATOIRE

I, like all my friends at the time, only got the chance to hear an orchestra playing the symphonic works of great classical masters thanks to him [Ambroise Thomas], and I am deeply grateful to his memory for that. In those days, we had nothing in the way of the type of symphonic concerts as were later founded by [Jules-Étienne] Pasdeloup, [Édouard] Colonne and [Charles] Lamoureux. The concerts of the Conservatoire were the only ones taking place at that time, and they were only affordable for the rare season ticket holders amongst us. Ambroise Thomas had the idea of asking the Société committee to permit access to the general rehearsals for students attending the composition classes, in order that they might form and develop their musical tastes and to complete their education by hearing those masterpieces which constituted the repertory of that illustrious Société. This favour was granted. From then on, I never missed a single Saturday rehearsal. I became acquainted in this way, score in hand, with the admirable creations of those who were required to serve us as models; thus, I entered into the secrets of the form, of the developments, of the orchestral combinations, of the sonorities, of the expressive power of such an ensemble. A whole world of ideas awakened in me and my love for music intensified in a wonderful way.

COMPOSITIONS OF CÉSAR FRANCK

The daily visits from César Franck instilled in me a love and an admiration for that great musician. I was very fortunate in being able to observe the development of, and of accompanying, the first performance of his *Messe*, his motets, his lovely *offertoires* – including *Dextera Domini*, *Quae est ista* and the *Offertoire pour le carême* – all works of the first rank through their noble spirit, their masterly compositional design, and their vigorous and personal harmonies. What a contrast there was with the pieces that one used to hear in the majority of the churches in Paris! This was the start of a reaction against the ordinariness and the bad taste which still, after so many years (alas!) have not been completely eradicated from the church choir repertory! Later on, after my return from Rome, I witnessed the coming into existence of the collection of Franck's superb *Pièces d'orgue* and, for the first one, I used to assist the composer by pulling out the stops for him when he was trying his music out at the organ. These memories are dear to me because they remind me of the fine artist who was César Franck, the affectionate sympathy which he held for me, and also the strong impact that these works – in a style which was so new for me – had on my mind. It will come as no surprise to anybody when I say that the worshippers at Sainte-Clotilde proved to be a little resistant to the creations of their *maître de chapelle*, being more in favour of the banalities offered up by the workaday repertory. Has it not always been the way, and don't people see that the passage of time ends by putting everything in its place and that today the world of César Franck is justly admired! The outward appearance of the artist was little consistent with his talent, with his genius. Were it not for his lively look (full of intelligence) and the gleam in his eye, he could have instead been taken for some respectable provincial bourgeois. But as soon as he opened his mouth, he became transformed, demanding one's attention through his belief, by the power of his words, by his elevated insights into art, into literature; he became persuasive, almost an irresistible attraction; one felt that one was in the presence of a powerful force, of a willpower! Moreover, there were few young artists who came into contact with him who weren't influenced by him to some degree.

TANNHÄUSER AT THE PARIS OPÉRA

Towards the end of that year, 1861, *Tannhäuser* by Richard Wagner was performed at the Paris Opéra. I wanted to hear this work which was stirring up an unholy row in Paris and whipping up the most impassioned and most varied of discussions there. Jules Lefebvre was wanting to come with me; both of us being short of money, we scraped together enough for two places in the gods for the third performance. It was just as well we took the decision to hurry, because it turned out to be the last one. It wasn't even possible to get to the end of the performance, the racket being so extraordinary. At one point, I recall, the artists, labouring under the most strident barrage of whistling, courageously remained on stage for a whole 20 minutes, despite being unable to continue! I was outraged, not previously having experienced such an outburst; I later found out that it was mostly the work of a cabal, since the music didn't strike me as being so revolutionary that it should arouse – or even be worthy – of such passions! Afterwards, what a turnaround then for Richard Wagner! The same people who whistled so fiercely in 1861 – and moreover without knowing why – today clap wildly with a similar recklessness and with the same incompetence. The merit of an artistic work ends up by imposing itself and, in order to avoid being seen as out of touch, one applauds, without understanding better, and there you have it! And this is the form of approval that composers are after! Seldom do they secure this in their lifetimes, but when the furore has died down, when time has run its course, justice emerges and a posthumous glory will cast its golden halo upon a name formerly scorned and unacknowledged. Let me simply mention here the names of Berlioz and César Franck in France! I would not claim that at this time I was entirely appreciating the new art and the modern aesthetic offered up by Wagner; this art and this aesthetic were completely at variance with so much of what I was accustomed to liking, and to practise, that I was confused by the whole thing. However, I felt that there was a great force there, a great strength whose

influence would certainly be significant for the theatre but, in paral-
lel with this, I had a feeling – I could not say why – that French composers, whilst at the same time striving to get closer to the dramatic
truth, needed to retain their own personalities and not try to imitate,
by stepping in the footsteps of this great pioneer who was in the
process of revolutionizing the musical world. I must say that I have
not changed my opinion in this regard.

AMBROISE THOMAS

I often went to see my teacher Ambroise Thomas who constantly mani-
fested a real sympathy towards me. These visits generally took place
in the morning. He used to live in a flat on the Rue Saint Georges. He
would let me in himself, typically in his shirt sleeves, forever smoking
a cigar which he would always allow to go out and which he would con-
tinuously relight from a candle permanently alight in his fireplace. His
flat was cluttered with ornaments and knickknacks, for he was an
enthusiastic collector and a regular at the auction rooms. After a few
minutes we would start and he would take an interest in what I was up
to. I would talk to him about the problems that I was struggling to resolve
at the time: he understood them, and would promise to give me as much
help as he could. After that I would leave him to his own work. One
day he provided me with a great token of his confidence, and I was
proud and grateful for this. It concerned adapting *Mignon* for the Italian
stage. For that purpose, the dialogues in recitative form needed to be
transformed into Italian. Being busy with other matters, but this thing
being urgent, he asked me to compose the recitatives, which I then did
the best that I could. He then lightly adjusted them in places and the
score was published in this new version. Of course, we kept this
between ourselves, and if I am recording this recollection – unknown
by anybody else – it is out of love for the truth and not to brag about
what was really only a small piece of work on my part.

LISZT AT THE ORGAN OF SAINTE-CLOTILDE

Another very vivid memory occurs to me here, one which has left a
lasting trace. It relates to two great artists: César Franck and Franz Liszt.
The former had just finished composing his six wonderful *Pièces*

d'orgue, whilst the latter had promised him to come and hear them from the organ gallery at Sainte-Clotilde. They needed to be seen work together and, as I have already said, I was helping the composer out with his registrations at the time. After many rehearsals, once everything had been sorted out, Liszt arrived to the organ gallery on the appointed day, and listened attentively to the beautiful pieces, which appeared to make a big impression on him. He warmly congratulated Franck – towards whom he seemed to feel much admiration – and then he left. I had just been assisting in something unique: the meeting of two distinguished artists, with me there as the sole witness! Neither of them had sought to make any publicity out of this!

THE CONCERTS PASDELOUP

I have said before that the only symphony concerts that used to take place were those which Pasdeloup had founded a few years earlier. He organized them at the Cirque d'Hiver and at the Cirque d'Été on the Champs-Elysées (later demolished), depending on the season. He deserves to be acknowledged for the initiative which he had taken. It has borne such fruits! Indeed, from this time dates a sort of renaissance of the music for the masses in France. Up till then, a very limited elite used to go to the concerts of the Conservatoire (which had been founded in 1827 by Habeneck); and that was it! For the general public there was nothing other than theatre music. Young composers themselves, having no job prospects, would put all their efforts into the theatre; this is why, in contrast to in Germany, so few orchestral works used to appear in and from France. Bizet and Massenet were the first, I think, who led the way: the former with *Roma* (overture) and the latter with a *Suite d'orchestre*. Saint-Saëns had also composed some symphonic works which were played at the Société Sainte-Cécile and directed by Seghers.

THE SOCIÉTÉ NATIONALE DE MUSIQUE

At around the same time the 'Société Nationale de Musique' was founded at the instigation of Romain Bussine, the professor of singing. His aim was that all the young French composers – whatever their musical leanings were, but provided that they were possessed of some talent –

should have works of theirs performed. I was one of the founder members, and one only needs to mention the names of some of the committee members who took part in the early years to demonstrate the eclecticism of the operation: Saint-Saëns, Taffanel, Bussine, Lalo, Gouvy, César Franck, Guilmant, d'Indy, myself, Lascoux, Duparc. Later on, a split occurred, with the result that Lalo and I have since tendered our resignations. Since then, the Société Nationale de Musique has remained entirely in the hands of the Schola Cantorum, directed by M. d'Indy. That is to say, that it is far from being eclectic, and that sectarianism and partisanship reign supreme. The heart of the programmes lay above all in chamber music and singing; sometimes there were orchestral concerts, after which the pieces which had been judged the most favourably would have the distinction of being performed at the Concerts Colonne. This was thus the way in which my own *Suite villageoise* and the *Ouverture de Frithiof* were played at those latter concerts.

Exam hall at the Conservatoire, where Dubois spent many hours
in his capacity as its director. (*Musica*, December 1910.)

Salle des examens du Conservatoire, où Dubois passa de nombreuses heures
en qualité de directeur de l'institution. (*Musica*, décembre 1910.)

Title page from Dubois' Symphony No. 2.
(Éditions Heugel.)

Page de titre de la *Symphonie n° 2* de Dubois.
(Éditions Heugel.)

The 'Journal'

Alexandre Dratwicki
translated by Sandy Spencer

Dubois left us two works in manuscript form which give both an account of his life as an artist and his views on French music from 1850 to 1920: The *Souvenirs de ma vie* (Life Memoirs, covering the period 1837-1912); and a day-to-day diary (the *Journal*) running from 1912 to 1923 whose last entry was made a few months before the composer's death.

The *Souvenirs* – written before the war – are somewhat guarded in tone. In the writer's view, the era they deal with was far from over and its artists and ideas still contemporaneous. Dubois, dutiful academic that he was, had no wish to upset a world of which he was considered an ambassador if not, in fact, an official member. But, in the immediate pre-war period, a page of history had already been turned, a page the ensuing conflict would, quite literally, rip up. The fact that the *Souvenirs* remained unpublished is evidence that by 1914 the work was already considered, in both form and content, to be of another age. Dubois apparently made no attempt to publish them at the war's end in 1918.

The *Journal* reads differently. The author's voice as engaging as ever may seem a little dull by comparison with the brazenness of say a Berlioz or Debussy but it is an honest voice, the voice of an artist who no longer needs to consider the professional feelings of others or his own advancement. The tone, as deliberate as ever, is more assertive than that of the *Souvenirs*. The author makes no attempt to hide his bewilderment at the music of 'the future'.

Dubois' *Journal* was not published until 2013. Besides rounding out the chronology of the *Souvenirs*, the diary details the artistic development of a 'romantic' composer at sea in the cross-currents of a modernity that distressed him no end. The *Journal* also differs from the *Souvenirs* in its frank appraisal of a younger generation – Ravel, Stravinsky and Milhaud come in for particularly harsh treatment – and its consideration of the development of a musical language he labels 'ultra-futurist' (May 30, 1913). Dubois makes no bones about it, writing on April 25, 1914: 'I love music but not *this*!' Two years earlier, he commented:

> It is astonishing how our young composers have no sense of charm. It's as if they were afraid of it somehow! Their primary goal seems to be to shock us with a combination of 'new' sonorities and harmonies! As if that was all there was to music! I feel sorry for them!
> (December 16, 1912.)

While Dubois criticizes Maurice Emmanuel for 'a modernity that is limited to eking out the most basic and useless harmonies' (May 17, 1913), it is Stravinsky who most irritates him for his blatant disregard of the art-form itself:

> I am going [...] to hear Stravinsky's The Rite of Spring. There is absolutely nothing musical in the work. It's just noises, not notes. Nothing else. The composer is certainly talented and has a passionate following! But the music is awful: so hard on the ear, enough to make you want to scream at times, peppered with wrong notes, violent clashes. And all this done deliberately with consummate skill. Painters have their Cubism. Now we musicians have ours!
> (April 25, 1914.)

Ravel, like Stravinsky, was given no quarter:

> After applauding Schumann's First Symphony and my Fantasy, the audience went wild for a suite by Ravel, Daphnis and Chloé which has to be the most bizarre piece ever heard, the most disjointed, the longest, the least musical imaginable. It is all one could wish for: very adeptly put together, all except the music. Such noise, uneven rhythms, appalling combinations of notes; such a jumbled mess that at times I felt as if I was in an insane asylum. And in spite of all that, the audience went mad for it. We are obviously in an age of decadence. [...] No one cares any more about craft, development and balance in a work of art. I strive to achieve all that, most likely never will, and will die unrepentant. I still wonder if all this will some day die away or if we are witnessing

> *the dawn of a new art-form! I am too old now to be around for the outcome...!*
> *There is apparently no hope that, out of the blue, some composer will one day*
> *give us a work that is simple, melodic, expressive and profoundly moving, a*
> *work that will send all these tricksters packing. I wish to God it might be so!*
> (February 26, 1923.)

In the event, what burst on the scene just after the war was the Group
of Six who, according to Dubois, 'inveigled their way in by trickery,
money and the sheer stupidity of the public' (August 30, 1923), and
most especially the polytonality so favoured by Milhaud.

> *I gather that Colonne at one of his concerts recently featured a nonsensical*
> *work by a young aesthete: Darius Milhaud. I'm told the music was polytonic*
> *(sic)! Whatever next. It should have been roundly booed but that would only*
> *have played into their hands. Better to ignore them. To think that a man so*
> *widely derided could be on the path to glory!*
> (November 20, 1920.)

On the other hand, Dubois classed some of his contemporaries –
albeit more experimental than himself – as post-Romantic, a label he
found acceptable and a way for him to demonstrate his own open-
mindedness. Alfred Bruneau was one of these but Jules Massenet, by
public acclaim, principal among them:

> *General rehearsal: Massenet's Panurge. Delightful music; open-handed, open-*
> *hearted. No weirdness, no tonal scales, no false notes, squeaking trumpets and*
> *random rhythms, etc., etc., which we are deluged with right now or, I should*
> *say, poisoned by. If the music I heard today had been the first I ever heard, I*
> *would surely not have chosen to be a musician. That's for sure!*
> (April 23, 1913.)

Against this new aesthetic, an aesthetic whose multiple influences and
orchestrations he did not fully comprehend, Dubois fielded his cham-
pions, Saint-Saëns still the leading-light: 'Saint-Saëns is seventy eight!
Still so fresh, so on fire! He played [...] a quintet of his on piano. Such
a miracle of charm, grace, composition and transparency! Would that
the younger generation could learn from such lessons! But they are
nowhere to be seen!' (November 6, 1913.) Ten years on and near death,

Dubois took the time to make a list of everyone he had known and those he revered:

> *I consider the most significant works by composers of our age and the age that went before. It's quite interesting! Some of them have fallen by the wayside, especially those who were mere flashes in the pan. I won't list every name. I can only say that Saint-Saëns is certainly at the top of it; Franck may have been over-rated; Chabrier has slipped a couple of notches; though gifted, Debussy's work with its intolerable monotony, its lack of ideas, of melody, of rhythm will not outlive him; Gounod and Massenet do not deserve the ill-opinion young upstarts have of them – their work is inspired and will survive; the current generation of avant-garde composers is madly intent on destroying all tonality, rhythm, melody, structure, everything that music used to mean! I have only mentioned a few names but enough to make my point.*
> (September 6, 1922.)

It would be wrong to think that Dubois found all modern music abhorrent and gave no credit to the young composers he knew, either by acquaintance or through the juries he was often a member of. He wrote that Lili Boulanger possessed 'a remarkable intelligence and considerable talent' (July 4, 1913) and acknowledged she had a 'real gift' (December 4, 1920), a gift cut short by her premature death. Even more far-sightedly (at least in France where German post-Romanticism was still largely misunderstood), Dubois was one of the first to identify innate genius in the work of Brahms at a time when the German composer was still regarded with suspicion and scorn.

> *My wife and I have been playing Brahms' symphonies scored for four hands. I really don't understand why French audiences are so cold towards him. His work has a solidity, a quite remarkable structural power. His close and sumptuous harmonies, their resolution, the intricacy and manner with which they are developed evidence his reverence for Beethoven and Schumann. [...] We are in the presence of a master who inspires our admiration and our respect. That anyway is the feeling I get from his work and I really do not understand the public's coldness towards him, their outright disdain even.*
> (June 23, 1913.)

'WE ARE PLUNGED INTO DARKNESS!'
(AUGUST 7, 1914)

> *The whole of Europe has been shaken to the core these last few days. Austria*
> *has declared war on Serbia and we await the possible consequences. The situ-*
> *ation is very grave. The Triple Alliance on one side, the Triple Entente on the*
> *other! The merest spark could ignite Europe and set it ablaze! What will come*
> *of it?*
> (July 30, 1914.)

It is hard to imagine now when the First World War was raging in
Europe how soon Parisians were denied their usual distractions, for
the time-being at least. Artists were particularly affected, finding
themselves suddenly irrelevant in a world stripped to bare essentials.
By August 1914, Dubois was already commenting: 'My music is sadly
neglected. I have neither the heart nor courage to set myself to it. It is
hard to keep one's mind off the terrible state of affairs that have
engulfed us!' (August 21, 1914.) Several weeks later, he added: 'A composer? Of what? On what possible subject? What's the point!'
(September 19, 1914.) The rare occasions on which the artist, now more
than seventy-five-years old, felt himself to be of any use were the char-
itable concerts intended to boost the morale of soldiers on leave. The
old improviser could at least put his talents to use and soothe the
troubled minds and fire up the patriotism of his fellow-citizens:

> *I played the organ at the Madeleine Church in Mont-de-Marsan on Sunday*
> *the 18th last. The service [...] was a benefit for the Red Cross. It was most*
> *moving, particularly the moment when the wounded soldiers taking part left*
> *the church. I felt my organ-playing to be quite rusty but think I came out of it*
> *quite well in spite. In honour of the occasion, I managed to slip into my rather*
> *ill-prepared improvisations passages from the* Marseillaise *and the Russian*
> *anthem. The congregation seemed quite taken with it.*
> (October 21, 1914.)

Inspired by such patriotic feelings, Dubois' 'war' diary soon bristles
with fierce hatred for all-things-German. He has no qualms about writing on August 5, 1914: 'Behind every Prussian lurks a barbarian.' Though
Dubois was usually rather mild and subdued by nature, most likely as

a result of his incurable shyness (brought on in turn by a slight stutter which he refers to in the *Souvenirs*), the atrocities committed in the war engendered in him a disgust for Germans and Germany which quickly became all-consuming. Its origins can doubtless be traced to the carnage committed in the area of Reims, located as it was on a part of the Front that after Verdun proved to be the bloodiest of all. Originally from a little village outside Reims, Rosnay, where he had a country house he inherited from his parents, Dubois was daily reminded by accounts in the papers of the tragedy that beset the region. In September 1914, he anguishes: 'There are reports that the Germans are *bombing Reims Cathedral*! This act of vandalism is the last straw! They deserve our utmost contempt!' (September 21, 1914.) The next day, he writes: 'Our beloved cathedral is in ruins! There is no accounting for this act of savagery, no words to express it. My eyes fill with tears when I think of it. This beautiful church held such memories for me! These vandals! And they call themselves civilized!' (September 22, 1914.) The word 'Boche' gradually replaces 'German' in Dubois' writings and ends in an almost daily castigation of the people themselves: 'The Germans fight this war like barbarians. [...] What boors! Overarching pride and hypocrisy, old traits re-surfacing in spite of the *Kultur* they are so proud of and boast about so archly and arrogantly!' (October 31, 1914.) At first confined to the Front, artillery barrages – the true nature of which Dubois, reliant on distorted accounts in the Parisian press, had no idea – eventually reached Paris. German air-attacks and frequent Zeppelin raids followed by the deployment of the infamous long-range mortar Big Bertha were perils the capital's citizens were daily subjected to. Now, Dubois found himself personally affected by the horrors of war that would mark him for life. That may explain the consuming hunger for revenge that plagued this old and somewhat reclusive man.

> *The Boche are conducting this war with their accustomed brutality and ferocity. Anything that will deal a blow to the enemy is permissible! That's their creed! As for us, we still play by humanity's rules. They must take us for idiots! They sign treaties without any intention of abiding by them. And we never learn. If it were up to me, I would visit the most terrible reprisals on them! But what would all our devout socialist and sheepish internationalists have to say! A bunch of ideologues, dreamers and utopians. They make me sick!*
> (June 19, 1917.)

The change of heart towards Germans Dubois underwent is a text-book illustration of how well the French government's wartime propaganda effort succeeded. An avid reader of more than a few national papers, Dubois' take on the conduct of the war was wholly shaped by them without any realization on his part that he was being misled.

'RED-LETTER DAY: SIGNING OF THE ARMISTICE!'
(NOVEMBER 11, 1918)

> *The war is over! I am beside myself! France is free once more, so is Europe, and, for that matter, so is the world! Germany's master-plan was to put all of us under its yoke! So much for the Kaiser! There is an inherent justice that shapes our ends! Humanity can breathe again! The nightmare is over! But now we face the consequences, a multitude of problems. I pray we will be up to them. The French people will show themselves as worthy in peacetime as they were in war. They must!*
> (November 11, 1918.)

With peace came the reopening of all theatres and many of the concert societies, heralding a resumption of the old musical traditions Dubois pined for. He was to be disappointed. Once peace had been signed, a grateful French public went on a spree:

> *We are inundated with concerts, mostly piano concerts! A veritable downpour! And none of it in any way interesting. The orchestral concerts have nothing new to offer. The same names, the same little cliques, the same little games and the same cold-shoulders as before the war. Humanity will never be done with its burden of despair, meanness and misery!*
> (March 12, 1919.)

Dubois became increasingly embittered and disillusioned as he himself admits in his *Journal*. Even though he still composed music, he found he no longer figured in the artistic world he wished so much to be a part of. 'Would that I could find some pleasure and enjoyment in life, forget even!' (December 17, 1919.) But such oblivion would not end with the war. A page of social and artistic history had been turned and, in its customarily careless way, history had cast multiple works and composers much honoured in France before the war into outer darkness. It is worth noting that Saint-Saëns died in 1921, Fauré in 1924, the same years as Dubois.

> *Concerts continue to proliferate and artists' manners show no sign of improving. They are as malicious as ever. They form cliques and clubs to which all outsiders (by which I mean all those who have remained true to the classical tradition), are strictly denied entry, however talented they may be. It is appalling but that's the way it is! The war has changed nothing!*
> (May 12, 1919.)

'THE MODERNISTS' (FEBRUARY 9, 1921)

While the opening pages of the *Journal* and, more generally, those that cover the period up to 1918 are filled with damning judgements of Modernism by a Théodore Dubois still very much in swim, the years 1919-1923 betray the hopelessness of a man time has passed by (even though he was still composing and would continue to do so):

> *Music as an art is suffering a catastrophic crisis. The most discordant notes are randomly flung together without respect for rhythm, tonality or structure on the pretext of breathing new life into the art and liberating it from the old traditions. The result is cacophony, the most disagreeable and disordered-sounding mess. Most of those guilty of it have no idea what they are doing!*
> (December 26, 1920.)

It goes without saying that not too much later music by composers such as Ravel and Stravinsky would be considered 'classics'. Not only were the harmonic principles and phraseology of Dubois' art left in tatters, the very concepts of 'tonal music' and 'structural rhythm' were swept aside.

> *Music is still stuck in its little rut. Those who were considered at one time to be leaders in the field have been trumped by the Modernists. We might as well*

be living in the Tower of Babel. The silly audiences have thrown themselves at the feet of Wagner. Only Wagner will do! Meantime, we poor French composers, trying to stay calm, timidly offer up carefully wrought compositions which are rarely played and are greeted by audiences with trepidation and bewilderment. Then there are the ballets – Russian, Swedish and so on – with their really awful music, not to mention all the little concerts given by foreigners from all over the place. 'Look! We're making music!'... It's just a mess... a hodgepodge... a total waste! Luckily, I don't listen to any of it and so stay sane.
(February 9, 1921.)

One thing is sure. From this point on, Dubois, conscious of the fact that he has been forever cast into artistic darkness, harbours no illusions about how posterity will treat him...

'I AM A LIVING WITNESS TO MY OWN DEATH. HOW VERY SAD!'
(SEPTEMBER 10, 1922)

The final pages of the *Journal* read like an agonizing literary demise of a man stricken with physical and moral woes.

I lead a very miserable life! I am beset with loneliness! All around me is in ruins. First, my poor Rosnay which I loved so dearly and which I may never see again! Then my bladder and hernia problems which make life so painful and hard to bear! And lastly, the cruellest cut of all, I have lost my dearest companion, she who loved me so much. My life is a desert! And that doesn't include the abandonment of so many of my dreams, laid to waste by the selfishness that dominates our time! And yet, somehow, I must carry on!
(January 17, 1923.)

The kindness of his family offered some brief moments of respite but what most troubled him was his work which he no longer had the means to get played or promote.

I know this younger generation [...] considers me worthless. Their contempt is quite literally killing me. And yet, I remain my own best critic and con-

*tinue to put my best compositions to the test. I believe (and I say so without
a trace of conceit) that they do not deserve such rough handling. I have suf-
fered through the humiliations and there have been more than enough, but I
live in hope that the time will come when I will be given my due. Amen!*
(September 6, 1922.)

*Now that I am cast into darkness and snobs and avant-garde music rule, my
works are rarely featured on programmes. I am forced to go on my knees to
concert managers as if I were still a twenty-five-year-old. I am fading from the
musical scene. I am a living witness to my own death. How very sad! This
indifference affects me so deeply that in my current state I cannot do the things
I used to, keep up with the people I should. Virtuosi, singers and orchestra-
leaders fawn over these troublesome youngsters, are obsessed with them. They
so desperately want to succeed that they set all critical judgement aside! And
old men like me who keep hanging on are left twisting in the wind. In my particular instance, I believe that is unjust. As I have noted in these daily entries,
I have been treated harshly in the past and am in need of some timely redress!
Thank goodness I can still be philosophical about it!*
(September 10, 1922.)

Dubois' philosophical vein turned to self-blame in his final weeks. He
owned up to his tendency to write more than he ought to have without making appropriate demands on himself. He also recognized that
his humble origins ill-prepared him for an art-form that by its very
nature was elitist:

*If I had been better educated, I would certainly have done better. In my opin-
ion anyway. And since I seem to be in a confessional, I should and want to
acknowledge that gifted with a facility for producing work as I am, I have pro-
duced too much. There is an unevenness in my work, yes. But any discerning
artist should be able – I say this without conceit – to find more than a few
pieces that have often and unjustly been overlooked! Time will tell.*
(June 27, 1923.)

In conclusion he writes:

*I may be mistaken but I believe that some time in the future my work will be
revisited by musicians and critics still to come who will decide in my favour!*

I will not be around to relish the moment but no matter. I can still take pleas-
ure in the thought of it! [...] There are enough good things in all I have writ-
ten to set the record straight!
(December 18, 1922.)

The *Journal* ends somewhat uncomfortably with an entry recording
the announcement of a new performance of the Symphony No. 2.
Dubois recalls the success of the work's première in Belgium and relives
the pain of the scandal its performance caused in Paris. An account
of the very same scandal was recorded in the opening pages of his
diary in 1912.

As this *Portrait* goes to print, many of Dubois' works have been
srecorded or soon will be. Poetic justice for an honest and engaging
artist less than a century after his death.

———

13.   César Franck, with whom Dubois was in contact at Sainte-Clotilde. .
(*Musica*, May 1911.)

César Franck, que Dubois côtoya à Sainte-Clotilde.
(*Musica*, mai 1911.)

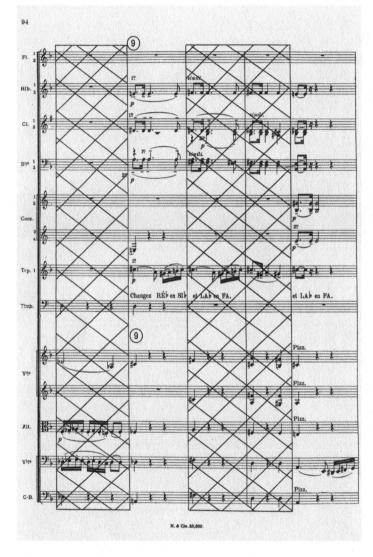

Passages cut by Dubois from his Symphony No. 2, following its stormy first performance in Paris. (Éditions Heugel.)

Passages coupés par Dubois dans sa *Symphonie n° 2* suite à la création parisienne houleuse. (Éditions Heugel.)

Théodore Dubois (at the piano), a jury member of the *Musica* Tournoi.
(*Musica*, January 1904.)

Théodore Dubois, au piano, membre du jury du tournoi de *Musica*.
(*Musica*, janvier 1904.)

The Villa Medici, around 1835, where Dubois – winner of the Prix de Rome –
was to stay in 1861. (Collection of the French Academy in Rome.)

La Villa Médicis, vers 1835, où séjourna Dubois vainqueur du prix de Rome
en 1861. (Collection Académie de France à Rome.)

Chantal Santon

Jennifer Borghi

Marie Kalinine

Mathias Vidal

Alain Buet

Chantal Santon, *soprano*   Jennifer Borghi, *mezzo-soprano*
Marie Kalinine, *mezzo-soprano*   Mathias Vidal, *ténor*
Alain Buet, *baryton*
Romain Descharmes, *piano*   François Saint-Yves, *orgue*

Quatuor Giardini
Pascal Monlong, *violon*   Caroline Donin, *alto*
Pauline Buet, *violoncelle*   David Violi, *piano*

Flemish Radio Choir
Hervé Niquet, *direction*

Brussels Philharmonic
Hervé Niquet, *direction*

Les Siècles
François-Xavier Roth, *direction*

Enregistré à La Monnaie (Bruxelles) les 2 et 3 mai 2012 :
Symphonie n° 2 en si mineur
Prise de son : Steven Maes avec Serendipitous Classical Recordings
Direction artistique : Felicia Bockstael

Enregistré au Palazzetto Bru Zane – Centre de musique romantique française (Venise) :
Sonate pour piano en la mineur (9 et 10 février 2012)
Quatuor pour violon, alto, violoncelle et piano en la mineur (28 et 29 mars 2014)
Prise de son : Matteo Costa

Enregistré à l'Église des Jésuites (Heverlee) :
Messe pontificale (23 et 24 avril 2012)
Motets (14 et 15 juin 2012)
Prise de son : Steven Maes avec Serendipitous Classical Recordings
Direction artistique : Felicia Bockstael

Enregistré à l'Auditorium Parco della Musica (Rome, 13 et 14 avril 2012)
et à la Scuola Grande di San Rocco (Venise, 15 avril 2012) :
Symphonie française en fa mineur
Direction artistique et prise de son : Jiri Heger
Assistante : Anne-Sophie Versnaeyen

© Jean-Baptiste Millot

Romain Descharmes

François Saint-Yves

© Bernard Martinez

Quatuor Giardini

Flemish Radio Choir

Brussels Philharmonic

Brussels Philharmonic
Hervé Niquet, *direction*

Symphonie n° 2

PREMIER VIOLON SOLO
Otto Derolez

VIOLONS 1
Lei Wang (*chef de pupitre*)
Virginie Petit (*soliste*)
Olivia Bergeot
Annelies Broeckhoven
Andrzrei Dudek
Philippe Tjampens
Alissa Vaitsner
Erica Jang
Stefan Claeys
Gordan Trajkovic
Sayoko Siobhan Mundy

VIOLONS 2
Ivo Lintermans
(*chef de pupitre*)
Gudrun Vercampt
(*co-chef de pupitre*)
Marc Steylaerts (*soliste*)
Caroline Chardonnet
Ion Dura
Bruno Linders
Eleonore Malaboeuf
Karine Martens
Francis Vanden Heede
Eva Bobrowska

ALTOS
Paul Declerck (*chef de pupitre*)
Tomoko Akasaka
(*co-chef de pupitre*)
Agnieszka Kosakowska
Barbara Peynsaert
Stefan Uelpenich
Allard Philippe

VIOLONCELLES
Luc Tooten (*chef de pupitre*)
Karel Steylaerts
(*co-chef de pupitre*)
Kirsten Andersen
Jan Baerts
Livin Vandewalle
Elke Wynants

CONTREBASSES
Marc Saey (*chef de pupitre*)
Martin Rosso
Philippe Stepman
Tino Ladika

FLÛTES
Wouter Van den Eynde
(*chef de pupitre*)
Eric Mertens (*2e flûte*)
Femke Van Leuven
(*3e flûte, piccolo*)

HAUTBOIS
Joris Van den Hauwe
(*chef de pupitre*)
Lode Cartrysse

CLARINETTES
Anne Boeykens
(*chef de pupitre*)
Danny Corstjens
(*2e clarinette*)
Midori Mori
(*clarinette basse*)

BASSONS
Luc Verdonck
(*chef de pupitre*)
Alexander Kuksa (*2e basson*)
Filip Neyens (*3e basson*)
Jonas Coomans (*contrebasson*)

CORS
Hans van der Zanden
(*chef de pupitre*)
Evi Baetens (*2e cor*)
Mieke Ailliet (*soliste*)
Gerry Liekens (*4e cor*)

TROMPETTES
Andrei Kavalinski
(*chef de pupitre*)
Ward Hoornaert
(*co-chef de pupitre*)
Luc Sirjaques

TROMBONES
David Rey
(*chef de pupitre*)
Marc Joris (*2e trombone*)
Tim Van Medegael /
Charlotte Van Passen
(*trombone basse*)

TUBA
Jan Huysentruyt /
Pascal Rousseau

TIMBALES
Gert François
(*chef de pupitre*)

PERCUSSIONS
Tom De Cock

Messe pontificale

Michel Poskin, *violon*
Annelies Broeckhoven,
violon
Jeroen Robbrecht, *alto*
Benjamin Braude, *alto*
Hans Vandaele, *violoncelle*
Johannes Burghoff,
violoncelle
Thomas Fiorini, *contrebasse*
Els Weckx, *flûte*
Midori Mori, *clarinette*
Rémi Roux, *basson*
Raymond Warnier, *cor*
Leen Van der Roost, *harpe*

Motets

Otto Derolez, *violon*
Luc Tooten, *violoncelle*
Thomas Fiorini, *contrebasse*
Bart Naessens, *orgue*
Leen Van der Roost, *harpe*

Flemish Radio Choir
Hervé Niquet, *direction*

SOPRANOS
Karen Lemaire
Joke Cromheecke
Emilie De Voght
Caroline Asaert
Lore Binon
Evi Roelants

TÉNORS
Ivan Goossens
Frank De Moor
Paul Schils
Gunter Claessens
Paul Foubert
Henk Pringels

ALTOS
Lena Verstraete
Marianne Byloo
Marleen Delputte
Eva Goudie-Falckenbach
Noëlle Schepens
Saartje Raman
Helena Bohuszewicz

BASSES
Phillipe Souvagie
Joris Derder
Jan van der Crabben
Lieven Deroo
Conor Biggs
Paul Mertens
Marc Meersman

Hervé Niquet

© Jean-Pierre Gilson

Les Siècles

© François Sechet

François-Xavier Roth

Mécénat Musical Société Générale est le mécène principal de l'orchestre.
L'ensemble est depuis 2010 conventionné par le Ministère de la Culture et de la Communication
et la DRAC Picardie pour une résidence en Picardie. Il est soutenu depuis 2011 par le
Conseil Général de l'Aisne pour renforcer sa présence artistique et pédagogique sur
ce territoire, notamment à Soissons dans le cadre de la Cité de la Musique et de la Danse.
L'orchestre est également artiste en résidence au Forum du Blanc-Mesnil avec le soutien du
Conseil Général de Seine-Saint-Denis et intervient régulièrement dans les Hauts-de-Seine
grâce au soutien du Conseil Général 92 et de la Ville de Nanterre.
L'orchestre est soutenu par l'Art Mentor Foundation pour l'achat d'instruments historiques,
le Palazzetto Bru Zane – Centre de musique romantique française, la Fondation Echanges
et Bibliothèques, Katy & Matthieu Debost et ponctuellement par la SPEDIDAM,
l'ADAMI, l'Institut Français, le Bureau Export et le FCM. L'ensemble est artiste associé
au Festival Berlioz de La Côte Saint-André.
Les Siècles sont membre administrateur de la FEVIS.

Les Siècles
François-Xavier Roth, *direction*

PREMIER VIOLON SOLO
François-Marie Drieux

VIOLONS 1
Ian Orawiec
Sébastien Richaud
Matthias Tranchant
Simon Milone
Laetitia Ringeval
Jérôme Mathieu
Amaryllis Billet
Emmanuel Ory
Noémie Roubieu
Marie Friez
Quentin Jaussaud
Martial Gauthier

VIOLONS 2
Nicolas Simon
Rachel Rowntrée
Arnaud Lehmann
Mathieu Kasolter
Caroline Florenville
Catherine Jacquet
Jennifer Schiller
Rebecca Gormezano
Laure Boissinot

ALTOS
Vincent Debruyne
Sébastien Lévy
Lucie Uzzeni
Marie Kuchinsky
Carole Dauphin
Hélène Barre
Gwenola Morin
Marylène Vinciguerra

VIOLONCELLES
Julien Barre
Guillaume François
Jennifer Hardy
Emilie Wallyn
Pierre Charles
Jean-Baptiste Goraieb Eve
Marie Caravassilis
Annabelle Brey

CONTREBASSES
Philippe Blard
Cécile Grondard
Sophie Luecke
Marion Mallevaes
Marie-Amélie Clément

FLÛTES
Marion Ralincourt
Jean Bregnac
Julie Huguet

HAUTBOIS
Pascal Morvan
Stéphane Morvan
Hélène Mourot

CLARINETTES
Julien Herve
Rhéa Vallois
Jérôme Schmitt

BASSONS
Michael Rolland
Audrey-Anne Hetz
Thomas Quinquenel

SARRUSOPHONE
Thomas Kiefer

CORS
Yannick Maillet
Pierre Rougerie
Philippe Bord
Pierre Verice

TROMPETTES
Fabien Norbert
Sylvain Maillard
Emmanuel Alemany
Pierre Greffin

CORNET
Krisztian Kovatz

TROMBONES
Fabien Cyprien
Cyril Lelimousin
Jonathan Leroi

TUBA
Sylvain Mino

PERCUSSIONS
Camille Basle
David Dewaste
Eriko Minami
Nicolas Gerbier

HARPE
Valeria Kafelnikov
Maureen Thiebault

09 Ave verum 4:26
Marie Kalinine, mezzo-soprano
François Saint-Yves, orgue

10 Ave Maria 2:27
11 O Salutaris 2:11
12 Ave Maria 3:28
François Saint-Yves, orgue
Flemish Radio Choir – Hervé Niquet, direction

CD III [71:53]

Symphonie française en fa mineur
01 Largo – Allegro 13:04
02 Andantino 9:52
03 Allegro vivo, scherzando 6:39
04 Allegro con fuoco 9:01
Les Siècles – François-Xavier Roth, direction

Quatuor pour violon, alto, violoncelle et piano en la mineur
05 Allegro agitato 11:52
06 Andante molto espressivo 9:01
07 Allegro leggiero 4:01
08 Allegro con fuoco 8:03
Quatuor Giardini :
Pascal Monlong, violon – Caroline Donin, alto
Pauline Buet, violoncelle – David Violi, piano

———

Toutes les partitions sont publiées aux Éditions Heugel,
sauf la *Messe pontificale* (Édition Symétrie / Palazzetto Bru Zane)